BERLITZ®

L'IT
pour le v

Une publication des Guides Berlitz

L'essentiel en un coup d'œil

• Pour tirer le meilleur parti de ce manuel de conversation, commencez par le **Guide de prononciation** (p. 6–8) et enchaînez avec **Quelques expressions courantes** (p. 9–15). Vous ferez ainsi l'acquisition d'un vocabulaire de base tout en vous familiarisant avec la prononciation italienne.

• Pour un aperçu global de ce livre, consultez la **Table des matières** (p. 3–5). Chaque chapitre comprend des phrases et des expressions simples, que vous pouvez compléter avec le mot dont vous avez besoin, ainsi que des conseils et renseignements pratiques.

• Les chapitres **Restaurants** et **Guide des achats** comportent des tables des matières supplémentaires (menu: p. 39, magasins: p. 97).

• Le **Résumé de grammaire** vous familiarisera avec la syntaxe italienne et vous apprendra quelques règles de base (p. 159–163).

• Pour trouver rapidement le mot dont vous avez besoin, reportez-vous au **Lexique** (p. 164–189). En plus de la traduction italienne, il vous donne l'indication des pages où ce mot figure.

• Le système de **repérage par couleurs,** avec le titre des chapitres en français et en italien permet une consultation rapide. En cas de besoin, votre interlocuteur peut se reporter à **l'index en italien** se trouvant à la fin du livre.

• Tout au long de ce manuel, vous découvrirez ce symbole ☛. Il signale des phrases toutes faites que pourrait utiliser votre interlocuteur. Si vous ne le comprenez pas, laissez-le vous montrer la phrase en italien, la traduction française se trouve à côté.

Nouvelle édition, entièrement révisée - 2e impression 1990
Printed in Switzerland

Table des matières

Excursions 65

Visites touristiques 80

Distractions 86

Faire connaissance 92

Guide des achats 97

Nous tenons à remercier tout particulièrement Mmes Francesca Grazzi Rahimi et Rosmarie Tastavi-Welti pour leur collaboration dans la rédaction de ce livre, ainsi que le Dr T.J.A. Bennett, auteur du système de transcription phonétique.

Guide de prononciation

Vous trouverez ci-après la prononciation des lettres et des sons propres à la langue italienne, ainsi que les symboles que nous utilisons pour leur transcription phonétique. Cette dernière devrait être lue comme du français, exception faite de quelques règles expliquées ci-dessous. Toutes les consonnes, y compris celles placées à la fin d'une syllabe ou d'un mot, doivent être prononcées.

Certes, les sons de deux langues ne correspondent jamais exactement mais, en suivant attentivement nos indications, vous n'éprouverez aucune difficulté à lire nos transcriptions ni à vous faire comprendre.

Les syllabes imprimées en caractères **gras** doivent être prononcées de manière accentuée.

Consonnes

Lettres	Prononciation approximative	Symbole	Exemple	
b, d, f, l, m, n, p, t, v	se prononcent comme en français			
c/cc	1) suivi de **e** ou de **i**, comme **tch** dans **tch**èque	tch/ ttch	**cena** **doccia**	**tchéé**na **dot**tcha
	2) ailleurs, comme **k** dans **k**ilo	k/kk	**caffè** **macchina**	kaf**fé** **mak**kina
ch	comme **k** dans **k**ilo	k	**chiesa**	**kyéé**za
g/gg	1) suivi de **e** ou de **i**, comme **dj** dans **dj**inn	dj/ddj	**gelato** **maggio**	djé**laa**to **mad**djo
	2) ailleurs, comme **g** dans **g**are	g	**grande**	**grann**dé
gh	comme **g** dans **g**are	gh	**ghiaccio**	**ghyat**tcho
gl	se prononce comme un «l mouillé»	ly	**gli**	lyi

gn	comme dans oi**gn**on	gn	**signora**	si**gnoo**ra
h	ne se prononce pas		**ho**	o
qu	comme dans é**qu**ation	kou	**qui**	koui
r	roulé avec la pointe de la langue	r	**rapido**	**raa**pido
s	1) parfois, lorsque placé entre deux voyelles, comme **z** dans **z**oo	z	**viso**	**vii**zo
	2) sinon comme **s** dans **s**i	s/ss	**sono** **posso**	**soo**no **pos**so
sc	1) suivi de **e** ou de **i,** comme **ch** dans **ch**at	ch	**sciopero**	**choo**péro
	2) sinon comme **sk** dans **sk**i	sk	**scambio**	**skamm**byo
z	1) parfois (surtout après une consonne et devant une voyelle) comme **dz**	dz	**pranzo**	**prann**dzo
	2) sinon comme **ts** dans **ts**ar	ts	**grazie**	**graa**tsyé
zz	1) parfois comme **dz**	ddz	**mezzo**	**méd**dzo
	2) parfois comme **ts** dans **ts**ar	tts	**ragazzo**	ra**gat**tso

N.B. Il n'y a pas de voyelles nasales en italien. Pour éviter de nasaliser certains sons comme **am, an, em, in, im,** etc., nous avons doublé les consonnes. Ex.: **kamm**byo, inn, **monn**do.

Voyelles

a	comme dans c**a**p	a	**basta**	**bas**ta
e	comme **é** dans th**é**	é	**presto**	**prés**to
i	comme dans s**i**	i/y	**il/chiesa**	il/**kyéé**za
o	comme **ô** dans t**ô**t	o	**molto**	**mol**to
u	comme **ou** dans t**ou**t	ou	**urgente**	our**djén**té

N.B. Vous remarquerez, en entendant parler les Italiens, que le **e** se prononce aussi comme dans tête et le **o** comme dans p**o**mme. Vous pourrez relever et imiter ces variations de prononciation, mais vous n'aurez pas de peine à vous faire comprendre si vous utilisez le système simplifié que nous vous indiquons.

Diphtongues

Les voyelles **a, e** et **o** sont des voyelles fortes, **i** et **u** sont des voyelles faibles. Lorsque deux voyelles fortes se succèdent, elles sont prononcées comme deux syllabes. Ex.: *maestro*=ma**é**stro. Si une voyelle forte et une voyelle faible se trouvent réunies, elles forment une diphtongue, c'est-à-dire qu'elles sont prononcées comme une seule syllabe. Ex.: *mai*=maï (prononcé comme «maille»), *guarda*= **gouar**da. Si deux voyelles faibles se trouvent réunies, la deuxième se prononce avec plus de force que la première. Ex.: *guida*=**gouii**da. Dans nos transcriptions, des groupes tels que *aï* et *oï* doivent être lus comme des diphtongues, c'est-à-dire que la première voyelle fond dans le *i*.

Longueur des voyelles

En italien, une voyelle est longue si elle est accentuée et suivie d'une seule consonne. Ex.: *sono*=**soo**no. Elle est brève dans la plupart des autres cas. Les voyelles longues sont indiquées soit par un dédoublement **(éé)**, soit par l'adjonction d'un accent circonflexe **(oû)**.

Prononciation de l'alphabet italien

A	a	**H**	**ak**ka	**O**	o	**V**	vi
B	bi	**I**	i	**P**	pi	**(W**	vi **dop**pya)
C	tchi	**(J**	i **loun**ga)	**Q**	kou	**(X**	ix)
D	di	**(K**	**kap**pa)	**R**	**ér**ré	**(Y**	**i**psilonn)
E	é	**L**	**él**lé	**S**	**és**sé	**Z**	**dzéé**ta
F	**éf**fé	**M**	**ém**mé	**T**	ti		
G	dji	**N**	**én**né	**U**	ou		

Les lettres entre parenthèses ne figurent pas, en fait, dans l'alphabet italien. Elles n'apparaissent que dans les mots empruntés à d'autres langues.

Quelques expressions courantes

Oui.	**Sì.**	si
Non.	**No.**	no
S'il vous plaît.	**Per favore/ Per piacere.**	pér fa**voo**ré/ pér pya**tchéé**ré
Merci.	**Grazie.**	**graa**tsyé
Merci beaucoup.	**Tante grazie.**	**tann**té **graa**tsyé
Je vous en prie/ Il n'y a pas de quoi.	**Prego.**	**préé**go
Excusez-moi.	**Scusi.**	**skoû**zi
Excusez-moi/Pardon. (p. ex. quand vous passez devant quelqu'un)	**Permesso.**	pér**més**so

Salutations *Saluti*

Bonjour.	**Buon giorno.**	bouonn **djor**no
Bonsoir.	**Buona sera.**	**bouoo**na **séé**ra
Bonne nuit.	**Buona notte.**	**bouoo**na **not**té
Au revoir.	**Arrivederci.**	arrivé**dér**tchi
Salut.	**Ciao.**	**tchaa**o
A bientôt.	**A presto.**	a **prés**to
Je vous présente...	**Le presento...**	lé pré**zén**to
Monsieur...	**il signor...**	il si**gnor**
Madame...	**la signora...**	la si**gnoo**ra
Mademoiselle...	**la signorina...**	la signo**rii**na
mon mari	**mio marito**	**mii**o ma**rii**to
ma femme	**mia moglie**	**mii**a **moo**lyé
Enchanté(e).	**Piacere.**	pya**tchéé**ré
Comment allez-vous?	**Come sta?**	**koo**mé sta
Très bien, merci. Et vous?	**Molto bene, grazie. E lei?**	**mol**to **béé**né **graa**tsyé. é léy

Où/Comment/Quand...? *Dove/Come/Quando...?*

Où?	**Dove?**	**doo**vé
Où est...?	**Dov'è...?**	do**vé**
Où sont...?	**Dove sono...?**	**doo**vé **soo**no
Où puis-je trouver...?	**Dove posso trovare...?**	**doo**vé **pos**so tro**vaa**ré
Où puis-je acheter...?	**Dove posso comprare...?**	**doo**vé **pos**so komm**praa**ré
Comment?	**Come?**	**koo**mé
Comment puis-je me rendre à...?	**Come posso andare a...?**	**koo**mé **pos**so ann**daa**ré a
Quand/A quelle heure...?	**Quando/A che ora...?**	**kouann**do/a ké **oo**ra
Quand ouvre/ferme...?	**Quando apre/chiude...?**	**kouann**do **a**pré/**kyoû**dé
Combien? (sing./pl.)	**Quanto/Quanti?**	**kouann**to/**kouann**ti
Combien coûte...?	**Quant'è...?**	kouann**té**
Lequel/Laquelle?	**Quale?**	**kouaa**lé
Lesquel(le)s?	**Quali?**	**kouaa**li
Quel bus va à...?	**Quale autobus va a...?**	**kouaa**lé **a**outobouss va a
Quoi?	**Che cosa?**	ké **koo**za
Qu'est-ce que c'est?	**Che cos'è?**	ké ko**zé**
Qu'est-ce que cela signifie?	**Che cosa significa?**	ké **koo**za si**gnii**fika
Qui?	**Chi?**	ki
Pourquoi?	**Perchè?**	pér**ké**

Parlez-vous...? *Parla...?*

Y a-t-il quelqu'un ici qui parle français?	**C'è qualcuno che parli francese?**	tché koual**koû**no ké **par**li frann**tchéé**zé
Je ne parle pas (bien) l'italien.	**Non parlo (bene) l'italiano.**	nonn **par**lo (**béé**né) lita**lyaa**no
Comment dit-on cela en italien?	**Come si dice questo in italiano?**	**koo**mé si **dii**tché **koués**to inn ita**lyaa**no

Comment prononce-t-on cela?	**Come si pronuncia questo?**	**koo**mé si pro**noun**tcha **koués**to
Pardon?	**Scusi?**	**skoû**zi
Pourriez-vous parler plus lentement, s.v.p.?	**Potrebbe parlare più lentamente, per favore?**	po**tréb**bé par**laa**ré pyou lénta**mén**té pér fa**voo**ré
Pourriez-vous répéter, s.v.p.?	**Vuol ripetere, per favore?**	vouol ri**péé**téré pér fa**voo**ré
Pourriez-vous l'épeler, s.v.p.?	**Potrebbe sillabarlo, per favore?**	po**tréb**bé silla**baar**lo pér fa**voo**ré
Pouvez-vous l'écrire, s.v.p.?	**Può scriverlo, per favore?**	pouo **skrii**vérlo pér fa**voo**ré
Pouvez-vous me traduire cela?	**Può tradurmi questo?**	pouo tra**dour**mi **koués**to
Pouvez-vous m'expliquer cela?	**Può spiegarmelo?**	pouo spyé**gaar**mélo
Montrez-moi le/la… dans le livre, s.v.p.	**Per favore, mi indichi… nel libro.**	pér fa**voo**ré mi **inn**diki …nél **li**bro
expression	**l'espressione**	léspréss**yoo**né
mot	**la parola**	la pa**roo**la
phrase	**la frase**	la **fraa**zé
Un instant.	**Un attimo.**	oun **at**timo
Je vais voir si je le/la trouve dans ce livre.	**Guardo se posso trovarla in questo libro.**	**gouar**do sé **pos**so tro**vaar**la inn **koués**to **li**bro
C'est à la page…	**È a pagina…**	é a **paa**djina
Je comprends, merci.	**Capisco, grazie.**	ka**pis**ko **graa**tsyé
Je ne comprends pas.	**Non capisco.**	nonn ka**pis**ko
Comprenez-vous?	**Lei capisce?**	léy ka**pi**ché
Pourquoi riez-vous?	**Perchè ride?**	pér**ké rii**dé
Ce n'est pas juste?	**Non è giusto?**	nonn é **djous**to
Avez-vous un dictionnaire?	**Ha un dizionario?**	a oun ditsyo**naa**ryo
Je ne trouve pas la bonne traduction.	**Non trovo la traduzione appropriata.**	nonn **troo**vo la tradou**tsyoo**né appro**pryaa**ta
Je ne suis pas sûr(e) que la prononciation soit correcte.	**Non sono sicuro(a) che la pronuncia sia giusta.**	nonn **soo**no si**koû**ro(a) ké la pro**noun**tcha **sii**a **djous**ta

Puis-je ...? *Posso...?*

Puis-je avoir...?	**Posso avere ...?**	**po**sso a**véé**ré
Pouvons-nous avoir...?	**Possiamo avere ...?**	pos**syaa**mo a**véé**ré
Pouvez-vous me montrer...?	**Può mostrarmi ...?**	pouo mo**straar**mi
Pouvez-vous me dire...?	**Può dirmi ...?**	pouo **diir**mi
Pouvez-vous m'aider?	**Può aiutarmi?**	pouo ayou**taar**mi
Pouvez-vous m'indiquer la direction de...?	**Può indicarmi la direzione per...?**	pouo inndi**kaar**mi la dié**tsyoo**né pér

Je voudrais ... *Vorrei ...*

Je voudrais ...	**Vorrei ...**	vor**réy**
Nous voudrions ...	**Vorremmo ...**	vor**rém**mo
Je voudrais manger/ boire quelque chose.	**Vorrei mangiare/ bere qualcosa.**	vor**réy** mann**djaa**ré/ **béé**ré koual**koo**za
Apportez-moi ..., s.v.p.	**Per favore, mi porti ...**	pér fa**voo**ré mi **por**ti
Donnez-moi ..., s.v.p.	**Mi dia ..., per favore.**	mi **dii**a ... pér fa**voo**re
Donnez-moi ceci/ cela, s.v.p.	**Mi dia questo/ quello, per favore.**	mi **dii**a **koués**to/ **kouél**lo pér fa**voo**ré
J'ai besoin de ...	**Ho bisogno di ...**	o bi**zo**gno di
Je cherche ...	**Cerco ...**	**tchér**ko

J'ai/Je suis ... *Ho/Sono ...*

J'ai/Nous avons ...	**Ho/Abbiamo ...**	o/ab**byaa**mo
J'ai faim/soif.	**Ho fame/sete.**	o **faa**me/**séé**té
J'ai perdu ...	**Ho perso ...**	o **pér**so
Je suis/ Nous sommes ...	**Sono/Siamo ...**	**soo**no/**syaa**mo
Je suis fatigué(e).	**Sono stanco(a)*.**	**soo**no **stann**ko(a)

* Fém. = stanc**a**

C'est/Il y a ... *È/C'è...*

C'est...	**È...**	é
Ce n'est pas...	**Non è...**	nonn é
Est-ce...?	**È...?**	é
Le voici/La voici.	**Eccolo/Eccola.**	**ék**kolo/**ék**kola
C'est important.	**È importante.**	**é** immpor**tann**té
C'est urgent.	**È urgente.**	é our**djén**té
Il y a... (sing./pl.)	**C'è/Ci sono...**	tché/tchi **soo**no
Il n'y a pas... (sing./pl.)	**Non c'è/ Non ci sono...**	nonn tché/ nonn tchi **soo**no
Il n'y en a pas. (sing./pl.)	**Non ce n'è/ Non ce ne sono.**	nonn tché né/ nonn tché né **soo**no

Quantités *Quantità*

un peu/beaucoup	**un po'/molto(a)**	oun po/**mol**to(a)
beaucoup (pl.)	**molti(e)**	**mol**ti(é)
peu de/quelque	**pochi(e)/alcuni(e)**	**poo**ki(é)/al**koû**ni(é)
plus (que)	**più (di)**	pyou (di)
moins (que)	**meno (di)**	**méé**no (di)
assez	**abbastanza**	abba**stann**tsa
trop	**troppo**	**trop**po

Contraires *Contrasti*

ancien/nouveau	**vecchio/nuovo**	**vék**kyo/**nouoo**vo
avant/après	**prima/dopo**	**prii**ma/**doo**po
beau/laid	**bello/brutto**	**bél**lo/**brout**to
bon/mauvais	**buono/cattivo**	**bouoo**no/kat**tii**vo
bon marché/cher	**buon mercato/caro**	bouonn mer**kaa**to/**kaa**ro
chaud/froid	**caldo/freddo**	**kal**do/**fréd**do
dedans/dehors	**dentro/fuori**	**dén**tro/**fouoo**ri
droite/gauche	**a destra/a sinistra**	a **dés**tra/a si**nis**tra

facile/difficile	**facile/difficile**	**faa**tchilé/dif**fii**tchilé
grand/petit	**grande/piccolo**	**grann**dé/**pik**kolo
haut/bas	**alto/basso**	**al**to/**bas**so
en haut/en bas	**di sopra/di sotto**	di **so**pra/di **sot**to
ici/là	**qui/là**	koui/la
juste/faux	**giusto/sbagliato**	**djous**to/sba**lyaa**to
libre/occupé	**libero/occupato**	**lii**béro/okkou**paa**to
lourd/léger	**pesante/leggero**	pé**zann**té/léd**djéé**ro
meilleur/pire	**migliore/peggiore**	mi**lyoo**ré/péd**djoo**ré
ouvert/fermé	**aperto/chiuso**	a**pér**to/**kyoû**zo
plein/vide	**pieno/vuoto**	**pyéé**no/**vouoo**to
premier/dernier	**primo/ultimo**	**prii**mo/**oul**timo
près/loin	**vicino/lontano**	vi**tchii**no/lonn**taa**no
rapide/lent	**rapido/lento**	**raa**pido/**lén**to
tôt/tard	**presto/tardi**	**prés**to/**tar**di
vieux/jeune	**anziano/giovane**	ann**tsyaa**no/**djoo**vané

Prépositions... *Preposizioni...*

à	**a***	a
à côté de	**accanto a**	ak**kann**to a
à travers	**per, attraverso**	pér attra**vér**so
après	**dopo**	**doo**po
au-dessus	**sopra**	**so**pra
au-dessous	**sotto**	**sot**to
avant	**prima di**	**prii**ma di
avec	**con**	konn
chez	**da**	da
contre	**contro**	**konn**tro
dans/en	**in**	inn
de	**di/da**	di/da
depuis	**da**	da

* voir aussi la grammaire, page 163 (prépositions)

derrière	**dietro**	**dyé**tro
devant	**davanti a**	da**vann**ti a
entre	**tra**	tra
jusqu'à	**fino a**	**fii**no a
pendant	**durante**	dou**rann**té
pour	**per**	pér
sans	**senza**	**sén**tsa
sauf	**salvo, meno che**	**sal**vo **méé**no ké
sous	**sotto**	**sot**to
sur	**su, sopra**	sou **so**pra
vers	**verso**	**vér**so

...et autres mots utiles *...e altre parole utili*

alors	**allora**	al**loo**ra
aussi	**anche**	**ann**ké
bientôt	**presto**	**prés**to
déjà	**già**	dja
encore	**ancora**	ann**koo**ra
et	**e**	é
jamais	**mai**	**maa**i
maintenant	**adesso**	a**dés**so
mais	**ma, però**	ma pé**ro**
ne... pas	**non**	nonn
ou	**o**	o
personne	**nessuno**	nés**soû**no
peut-être	**forse**	**for**sé
quelque chose	**qualcosa**	koual**koo**za
quelqu'un	**qualcuno**	koual**koû**no
rien	**niente, nulla**	**nyén**té **noul**la
seulement	**soltanto**	sol**tann**to
toujours	**sempre**	**sém**pré
tout de suite	**subito**	**soû**bito
très	**molto**	**mol**to

Arrivée

Contrôle des passeports *Controllo dei passaporti*

Seule une carte d'identité valable est nécessaire pour les ressortissants belges, français ou suisses.

Voici mon/ma...	**Ecco...**	**é**kko
carte d'identité	**la carta d'identità**	la **kar**ta didénti**ta**
passeport	**il passaporto**	il passa**por**to
permis de conduire	**la patente**	la pa**té**nté
permis de circulation	**il libretto di circolazione**	il li**brét**to di tchirkola**tsyoo**né
carte verte*	**la carta verde**	la **kar**ta **vér**dé
Je resterai...	**Resterò...**	rést**éro**
quelques jours	**qualche giorno**	**koual**ké **djor**no
une semaine	**una settimana**	**oû**na sétti**maa**na
un mois	**un mese**	oun **mée**zé
Je ne sais pas encore.	**Non so ancora.**	nonn so ann**koo**ra
Je suis ici en vacances.	**Sono qui in vacanza.**	**soo**no koui inn va**kann**tsa
Je suis ici pour affaires.	**Sono qui per affari.**	**soo**no koui pér af**faa**ri
Je vais suivre un cours d'italien.	**Seguirò un corso d'italiano.**	ségoui**ro** oun **kor**so dita**lyaa**no
Je suis en transit.	**Sono di passaggio.**	**soo**no di pas**sad**djo

Si des difficultés surgissent:

Excusez-moi, je ne comprends pas.	**Mi scusi, non capisco.**	mi **skoû**zi nonn ka**pis**ko
Y a-t-il quelqu'un ici qui parle français?	**C'è qualcuno che parli francese?**	tché koual**koû**no ké **par**li frann**tchéé**zé

DOGANA
DOUANE

*La carte verte d'assurance n'est plus obligatoire en Italie, elle peut toutefois être très utile en cas de sinistre.

VOITURES, voir page 75

Le tableau ci-dessous vous indique ce que vous pourrez introduire en Italie en franchise.

Cigarettes		Cigares		Tabac	Alcool		Vin
200 (300)	ou	50 (75)	ou	250 g (400 g)	¾ l (1½ l)	ou	2 l (5 l)

(Les chiffres entre parenthèses sont valables pour les personnes en provenance des pays de la CEE et pour des marchandises qui n'ont pas été achetées hors-taxes.)

Je n'ai rien à déclarer.	**Non ho nulla da dichiarare.**	nonn o **noul**la da dikya**raa**ré
J'ai une bouteille de vin/une cartouche de cigarettes.	**Ho una bottiglia di vino/una stecca di sigarette.**	o **oû**na bot**tii**lya di **vii**no/**oû**na **sték**ka di siga**rét**té
C'est un cadeau.	**È un regalo.**	é oun ré**gaa**lo
C'est pour mon usage personnel.	**È per mio uso personale.**	é pér **mii**o **oû**zo pérso**naa**lé
Ce n'est pas neuf.	**Non è nuovo.**	nonn é **nouoo**vo
Je l'ai acheté en...	**L'ho comprato in...**	lo komm**praa**to inn
Belgique	**Belgio**	**bél**djo
France	**Francia**	**frann**tcha
Suisse	**Svizzera**	**svit**tséra
Combien de frais de douane dois-je payer?	**Quanto devo pagare di dazio?**	**kouann**to **dé**évo pa**gaa**ré di **da**tsyo

Il passaporto, per favore.	Votre passeport, s.v.p.
Ha qualcosa da dichiarare?	Avez-vous quelque chose à déclarer?
Deve pagare il dazio su questo.	Il y a des droits de douane sur cet article.
Ha altri bagagli?	Avez-vous d'autres bagages?

Bagages – Porteurs *Bagagli – Facchini*

Où sont les chariots à bagages?	**Dove sono i carrelli portabagagli?**	d**oo**vé **soo**no i kar**re**lli portaba**gaa**lyi
Où est la consigne (automatique)?	**Dov'è il deposito bagagli (automatico)?**	do**vé** il dé**poo**zito ba**gaa**lyi (auto**maa**tiko)
Porteur!	**Facchino!**	fak**kii**no
Prenez ..., s.v.p.	**Per favore, prenda ...**	pér fa**voo**ré **prén**da
ces bagages	**questi bagagli**	**koués**ti ba**gaa**lyi
mon sac de voyage	**la mia borsa**	la **mii**a **bor**sa
ma valise	**la mia valigia**	la **mii**a va**lii**dja
Portez ces bagages au bus/au taxi, s.v.p.	**Porti questi bagagli all'autobus/al taxi, per favore.**	**por**ti **koués**ti ba**gaa**lyi al**la**outobouss/al **ta**xi pér fa**voo**ré
Combien vous dois-je?	**Quanto le devo?**	**kouann**to lé **déé**vo
Il manque une valise.	**Manca una valigia.**	**mann**ka **oû**na va**lii**dja

Change *Cambio*

En général, les banques ne sont ouvertes que le matin (jusqu'à 13 h. ou 13 h. 30). Les bureaux de change *(cambio)* sont ouverts plus longtemps.

Y a-t-il une banque ici?	**C'è una banca qui?**	tché **oû**na **bann**ka koui
Où se trouve le bureau de change le plus proche?	**Dove si trova l'ufficio cambio più vicino?**	**doo**vé si **troo**va louf**fii**tcho **kamm**byo pyou vi**tchii**no
Je voudrais changer des ...	**Vorrei cambiare ...**	vor**réy** kamm**byaa**ré
francs belges	**dei franchi belgi**	déy **frann**ki **bél**dji
francs français	**dei franchi francesi**	déy **frann**ki frann**tchéé**zi
francs suisses	**dei franchi svizzeri**	déy **frann**ki **svitt**séri
Quel est le cours du change?	**Qual è il corso del cambio?**	koua**lé** il **kor**so dél **kamm**byo
Donnez-moi des billets de ... lires, s.v.p.	**Per favore, mi dia delle banconote da ... lire.**	pér fa**voo**ré mi **dii**a **dél**lé bannko**noo**té da ... **lii**ré

BANQUE – CHANGE, voir aussi page 129

Où se trouve...? *Dove si trova...?*

Où puis-je trouver un taxi?	**Dove posso trovare un taxi?**	**doo**vé **pos**so tro**vaa**ré oun «taxi»
Où puis-je louer une voiture?	**Dove posso noleggiare una macchina?**	**doo**vé **pos**so noléd**djaa**ré **oû**na **mak**kina
Comment puis-je me rendre à...?	**Come posso andare a...?**	**koo**mé **pos**so ann**daa**ré a
Y a-t-il un bus pour la ville?	**C'è un autobus per andare in città?**	tché oun **a**outobouss pér ann**daa**ré inn tchit**ta**
Où se trouve...?	**Dove si trova...?**	**doo**vé si **troo**va
arrêt de bus	**la fermata dell'autobus**	la fér**maa**ta dél**la**outobouss
gare	**la stazione (ferroviaria)**	la sta**tsyoo**né (férrovi**aa**ria)
guichet des billets	**la biglietteria**	la bilyétté**rii**a
guichet des réservations	**lo sportello prenotazioni**	louf**fii**tcho prénota**tsyoo**ni
métro	**il metrò**	il mé**tro**
office du tourisme	**l'ufficio turistico**	louf**fii**tcho tou**ris**tiko

Réservation d'hôtel *Prenotazione d'albergo*

Avez-vous une liste des hôtels?	**Ha un elenco degli alberghi?**	a oun é**lén**ko **déé**lyi al**bér**ghi
Pouvez-vous me réserver une chambre à l'hôtel/dans une pension?	**Può prenotarmi una camera in un albergo/in una pensione?**	pouo préno**taar**mi **oû**na **kaa**méra inn oun al**bér**go/inn **oû**na pén**syoo**né
au centre	**in centro**	inn **tchén**tro
près de la gare	**vicino alla stazione**	vi**tchii**no **al**la sta**tsyoo**né
une chambre à un lit	**una camera singola**	**oû**na **kaa**méra **sinn**gola
une chambre à deux lits	**una camera doppia**	**oû**na **kaa**méra **dop**pya
Où se trouve l'hôtel/la pension?	**Dove si trova l'hotel/la pensione?**	**doo**vé si **troo**va lo**tél**/la pén**syoo**né
Est-ce loin d'ici?	**È lontano?**	é lonn**taa**no
Combien cela coûtera-t-il environ?	**Quanto costerà all'incirca?**	**kouann**to kosté**ra** allinn**tchir**ka
Avez-vous un plan de la ville?	**Ha una pianta della città?**	a **oû**na **pyann**ta **dél**la tchit**ta**

HÔTELS – LOGEMENTS, voir page 22

Location de voitures *Autonoleggio*

Pour louer une voiture, vous devez posséder un permis de conduire valable et contracter une assurance. En général, on vous demandera de verser une caution, si vous n'êtes pas détenteur d'une carte de crédit reconnue sur le plan international. Les agences de location les plus importantes vous offriront la possibilité de louer une voiture pour un trajet unique, c.-à-d. que, moyennant un prix de location plus élevé, vous pourrez restituer la voiture dans une autre ville italienne, voire à l'étranger.

Je voudrais louer une voiture.	**Vorrei noleggiare una macchina.**	vor**réy** nolé**ddjaa**ré **oû**na **mak**kina
petite/moyenne/ grande	**piccola/media/ grande**	**pik**kola/**méé**dya/ **grann**dé
automatique	**automatica**	aouto**maa**tika
Je la voudrais pour un jour/une semaine.	**La vorrei per un giorno/una settimana.**	la vor**réy** pér oun **djor**no/**oû**na sétti**maa**na
Avez-vous des forfaits pour fin de semaine?	**Avete delle condizioni speciali per il fine settimana?**	a**véé**té **dél**lé kondi**tsyoo**ni spé**tchaa**li pér il **fii**né sétti**maa**na
Avez-vous des tarifs spéciaux?	**Avete delle tariffe speciali?**	a**véé**té **dél**lé ta**riff**é spé**tchaa**li
Quel est le prix par jour?	**Qual è il prezzo al giorno?**	koua**lé** il **prét**tso al **djor**no
Le kilométrage est-il compris?	**È compreso il chilometraggio?**	é komm**préé**zo il kilomé**trad**djo
Quel est le prix par kilomètre?	**Qual è il prezzo al chilometro?**	koua**lé** il **pret**tso al ki**loo**métro
Je voudrais une assurance tous risques.	**Vorrei un'assicurazione contro ogni rischio.**	vor**réy** ounassikoura**tsyoo**né **konn**tro **o**gni **ris**kyo
Quelle est la caution?	**Quanto è la cauzione?**	**kouann**to é la kaou**tsyoo**né
J'ai une carte de crédit.	**Ho una carta di credito.**	o **oû**na **kar**ta di **kréé**dito
Puis-je rendre la voiture à ...?	**Posso rendere la macchina a ...?**	**pos**so **rén**déré la **mak**kina a

VOITURES, voir page 75

Taxi *Taxi*

Vous pourrez héler un taxi dans la rue ou le prendre dans une station de taxis. Dans les pages jaunes des annuaires téléphoniques, vous trouverez les numéros des stations de taxis que l'on peut appeler par téléphone. Le prix de la course sera indiqué sur un compteur. Un tarif spécial est appliqué la nuit, le dimanche et les jours fériés. Vous devrez également payer un supplément pour vos bagages et certaines courses pour l'aéroport.

Où puis-je trouver un taxi?	**Dove posso trovare un taxi?**	**doo**vé **pos**so tro**vaa**ré oun **ta**xi
Appelez-moi un taxi, s.v.p.	**Per favore, mi chiami un taxi.**	pér fa**voo**ré mi **kyaa**mi oun **ta**xi
Quel est le tarif pour...?	**Qual è la tariffa fino a ...?**	koua**lé** la ta**riff**a **fii**no a
A quelle distance se trouve...?	**Quanto dista ...?**	**kouann**to **dis**ta
Conduisez-moi...	**Mi porti ...**	mi **por**ti
à cette adresse à l'aéroport au centre-ville à la gare à l'hôtel...	**a questo indirizzo all'aeroporto in centro città alla stazione all'albergo ...**	a **kouésto** inndi**ritt**so allaéro**por**to inn **tchén**tro tchit**ta** **al**la stat**syoo**né allal**bér**go
Tournez à droite/ gauche au prochain coin de rue.	**Al prossimo angolo, giri a destra/ a sinistra.**	al **pros**simo **ann**golo **djii**ri a **dés**tra/ a si**nis**tra
Continuez tout droit.	**Vada sempre diritto.**	**vaa**da **sém**pré di**rit**to
Arrêtez-vous ici, s.v.p.	**Per favore, si fermi qui.**	pér fa**voo**ré si **fér**mi koui
Je suis pressé(e).	**Ho fretta.**	o **frét**ta
Pourriez-vous rouler plus lentement?	**Può andare più piano?**	pouo ann**daa**ré pyou **pyaa**no
Pouvez-vous m'aider à porter mes valises?	**Può aiutarmi a portare le valige?**	pouo ayou**taar**mi a por**taa**ré lé va**lii**djé
Pourriez-vous m'attendre, s.v.p.? Je serai de retour dans 10 minutes.	**Potrebbe aspettarmi, per favore? Tornerò fra 10 minuti.**	po**tréb**bé aspét**taar**mi pér fa**voo**ré tornéro fra 10 mi**noû**ti

POURBOIRES, voir page 3 de couverture

Hôtel – Logement

Le choix est grand, de l'hôtel de luxe cinq étoiles à la modeste pension de famille. Durant la haute saison, il est indispensable de réserver à l'avance. Si vous n'avez pas de logement réservé, adressez-vous, à votre arrivée, à l'office de tourisme de la localité *(l'ufficio turistico).*

L'Office national italien du tourisme (ENIT), dans votre pays, tient également à votre disposition des listes d'hôtels, de pensions et de chambres chez l'habitant.

Hotel/Albergo
(o**tél**/al**bér**go)

En Italie, les hôtels sont répartis en 5 classes officielles: de luxe, 1re, 2e, 3e et 4e classe *(di lusso, prima, seconda, terza, quarta categoria).*

Un *albergo diurno* («hôtel de jour») que l'on trouve habituellement à proximité des gares, n'offre pas de possibilité d'hébergement, mais des douches ou bains, des installations pour le repassage, un coiffeur, etc. Ils ferment habituellement autour de minuit.

Motel
(mo**tél**)

l'Automobile Club italien tient à disposition une liste des motels reconnus.

Pensione
(pén**syoo**né)

pension; il y en a trois classes.

Locanda
(lo**kann**da)

auberge modeste

Rifugio
(ri**foû**djo)

modeste auberge de montagne, souvent fermée en hiver.

Ostello della gioventù
(o**stél**lo **dél**la djovén**tou**)

auberge de jeunesse; pour les membres de la A.I.G. *(Associazione Italiana Alberghi per la gioventù)* ou de l'Association internationale des auberges de jeunesse.

Bien entendu, vous pouvez également louer des maisons ou des appartements de vacances.

Peut-on louer ici un appartement/une maison de vacances?	**Si può affittare qui un appartamento/ una casa per le vacanze?**	si pouo affit**taa**ré koui oun apparta**mén**to/ **oû**na **ka**za pér lé va**kann**tsé

CAMPING, voir page 32

Réception *Ufficio ricevimento*

Vous reste-t-il des chambres libres?	**Avete camere libere?**	av**éé**té **kaa**méré **lii**béré
Je m'appelle...	**Mi chiamo...**	mi **kyaa**mo
Nous avons fait une réservation.	**Abbiamo fatto una prenotazione.**	ab**byaa**mo **fat**to **oû**na prénota**tsyoo**né
Nous avons réservé deux chambres.	**Abbiamo prenotato due camere.**	ab**byaa**mo préno**taa**to **doû**é **kaa**méré
Voici la confirmation.	**Ecco la conferma.**	**ék**ko la konn**fér**ma

CAMERE
CHAMBRES LIBRES

COMPLETO
COMPLET

Je voudrais une...	**Vorrei una...**	vor**réy oû**na
chambre simple	**camera singola**	**kaa**méra **sinn**gola
chambre double	**camera doppia**	**kaa**méra **dop**pya
chambre à deux lits	**camera a due letti**	**kaa**méra a **doû**é **lét**ti
chambre avec un grand lit	**camera con letto matrimoniale**	**kaa**méra konn **lét**to matrimo**nyaa**lé
chambre avec bain	**camera con bagno**	**kaa**méra konn **ba**gno
chambre avec douche	**camera con doccia**	**kaa**méra konn **dot**tcha
Nous désirons une chambre...	**Desideriamo una camera...**	dézidé**ryaa**mo **oû**na **kaa**méra
donnant sur la rue	**che dia sulla strada**	ké **dii**a **soul**la **straa**da
donnant sur la cour	**che dia sul retro**	ké **dii**a soul **ré**tro
avec balcon	**con balcone**	konn bal**koo**né
avec vue	**con vista**	konn **vis**ta
avec vue sur le lac/ la mer/la montagne	**con vista sul lago/ sul mare/sulle montagne**	konn **vis**ta soul **laa**go/ soul **maa**ré/**soul**lé monn**ta**gné
Il nous faut le calme.	**Deve essere tranquilla.**	**déé**vé **ès**séré trann**kouil**la
Y a-t-il...?	**C'è...?**	tché
air conditionné	**l'aria condizionata**	**laa**rya konnditsyo**naa**ta
blanchisserie	**la lavanderia**	la lavanndé**rii**a
chauffage	**il riscaldamento**	il riskalda**mén**to
eau chaude	**l'acqua calda**	**lak**koua **kal**da
radio	**la radio**	la **raa**dyo
service dans les chambres	**il servizio in camera**	il sér**vii**tsyo inn **kaa**méra

DÉPART, voir page 31

télévision	**la televisione**	la télévi**zyoo**né
toilettes particulières	**il gabinetto privato**	il gabi**nét**to pri**vaa**to
Pouvez-vous mettre un lit supplémentaire/ lit d'enfant dans la chambre?	**Può mettere un altro letto/un letto da bambino nella camera?**	pouo **mét**tééré oun **al**tro **lét**to/oun **lét**to da bamm**bii**no **nél**la **kaa**méra

Combien? *Quanto?*

Quel est le prix...?	**Qual è il prezzo...?**	koua**lé** il **prét**tso
pour une nuit	**per una notte**	pér **oû**na **not**té
pour une semaine	**per una settimana**	pér **oû**na sétti**maa**na
pour la chambre et le petit déjeuner	**per la camera e la colazione**	pér la **kaa**méra é la kola**tsyoo**né
avec demi-pension	**per mezza pensione**	pér **méd**dza pén**syoo**né
avec pension complète	**per la pensione completa**	pér la pén**syoo**né komm**pléé**ta
Le prix comprend-il...?	**Il prezzo comprende...?**	il **prét**tso komm**prén**dé
petit déjeuner	**la colazione**	la kola**tsyoo**né
service	**il servizio**	il sér**vii**tsyo
T.V.A.	**l'I.V.A.**	**lii**va
Y a-t-il une réduction pour les enfants?	**C'è una riduzione per i bambini?**	tché **oû**na ridou**tsyoo**né pér i bamm**bii**ni
C'est trop cher.	**È troppo caro.**	é **trop**po **kaa**ro
N'avez-vous rien de meilleur marché?	**Non ha nulla di meno caro?**	nonn a **noul**la di **méé**no **kaa**ro

NB: La T.V.A. *(Imposta sul Valore Aggiunto – I.V.A.)* est normalement comprise dans le prix de la chambre.

Combien de temps? *Quanto tempo?*

Nous resterons...	**Resteremo...**	résté**réé**mo
une nuit seulement	**solo una notte**	**soo**lo **oû**na **not**té
quelques jours	**qualche giorno**	**koual**ké **djor**no
une semaine (au moins)	**una settimana (come minimo)**	**oû**na sétti**maa**na (**koo**mé **mii**nimo)
Je ne sais pas encore.	**Non so ancora.**	nonn so ann**koo**ra

CHIFFRES, voir page 148

Décision *Decisione*

Puis-je voir la chambre?	**Posso vedere la camera?**	**pos**so vé**déé**ré la **kaa**méra
C'est bien, je la prends.	**Va bene, la prendo.**	va **béé**né la **prén**do
Non, elle ne me plaît pas.	**No, non mi piace.**	no nonn mi **pyaa**tché
Elle est trop ...	**È troppo ...**	é **trop**po
sombre/petite froide/chaude bruyante	**buia/piccola fredda/calda rumorosa**	**boû**ya/**pik**kola **fréd**da/**kal**da roumo**roo**za
Montrez-moi une autre chambre, s.v.p.	**Mi mostri un'altra camera, per favore.**	mi **mos**tri ou**nal**tra **kaa**méra pér fa**voo**ré
J'avais demandé une chambre avec bain.	**Avevo chiesto una camera con bagno.**	a**véé**vo **kyés**to **oû**na **kaa**méra konn **ba**gno
N'avez-vous rien de ...?	**Ha qualcosa di ...?**	a koual**koo**za di
meilleur marché mieux plus grand plus tranquille	**meno caro meglio più grande più tranquillo**	**méé**no **kaa**ro **mé**lyo pyou **grann**dé pyou trann**kouil**lo
Avez-vous une chambre avec une plus jolie vue?	**Ha una camera con una vista più bella?**	a **oû**na **kaa**méra konn **oû**na **vis**ta pyou **bél**la

Enregistrement *Registrazione*

A votre arrivée, on vous demandera de remplir une fiche d'hôtel (*la scheda* – la **skéé**da).

Cognome/Nome	Nom/Prénom
Domicilio/Strada/N°.	Domicile/Rue/N°
Cittadinanza/Professione	Nationalité/Profession
Data/Luogo di nascita	Date/Lieu de naissance
Documenti d'identificazione	Papiers d'identité
Luogo/Data	Lieu/Date
Firma	Signature

Vuol compilare la scheda per favore?	Veuillez remplir cette fiche, s.v.p.
Posso vedere il suo passaporto, per favore?	Puis-je voir votre passeport, s.v.p.?
Firmi qui, per favore.	Veuillez signer ici, s.v.p.
Quanto tempo resterà?	Combien de temps comptez-vous rester?

Questions d'ordre général *Richieste generali*

Quel est le numéro de ma chambre?	**Qual è il numero della mia camera?**	kou**alé** il **noû**méro **dél**la **mii**a **kaa**méra
Pourriez-vous faire monter nos bagages?	**Può far portare su i nostri bagagli?**	pouo far por**taa**ré sou i **nos**tri ba**gaa**lyi
Où puis-je garer ma voiture?	**Dove posso parcheggiare la macchina?**	**doo**vé **pos**so parked-**dja**ré la **mak**kina
L'hôtel possède-t-il un garage?	**L'albergo ha il garage?**	lal**bér**go a il «garage»
J'aimerais déposer ceci dans votre coffre-fort.	**Vorrei depositare questo nella vostra cassaforte.**	vor**réy** dépozi**taa**ré **koués**to **nél**la **vos**tra kassa**for**té
Puis-je avoir la clef, s.v.p.?	**Posso avere la chiave, per favore?**	**pos**so a**véé**ré la **kyaa**vé pér fa**voo**ré
Chambre 123.	**Camera 123.**	**kaa**méra 123
Pourriez-vous me réveiller à ... heures?	**Potrebbe svegliarmi alle ore ...?**	po**tréb**bé zvé**lyar**mi **al**lé **oo**ré
A quelle heure sert-on le petit déjeuner?	**A che ora servite la colazione?**	a ké **oo**ra sér**vii**té la kola**tsyoo**né
Pouvons-nous prendre le petit déjeuner dans la chambre?	**Possiamo avere la colazione in camera?**	pos**syaa**mo a**véé**ré la kola**tsyoo**né inn **kaa**méra
Où est/sont ...?	**Dov'è/Dove sono ...?**	do**vé**/**do**vé **soo**no
ascenseur	**l'ascensore**	lachén**soo**ré
salle de bains	**il bagno**	il **ba**gno
salle à manger	**la sala da pranzo**	la **saa**la da **prann**dzo
sortie de secours	**l'uscita di sicurezza**	lou**chii**ta di sikou**rét**tsa
toilettes	**i gabinetti**	i gabi**nét**ti

HEURES, voir page 154/PETIT DÉJEUNER, page 38

Y a-t-il une salle de bains à cet étage?	**C'è un bagno a questo piano?**	tché oun **ba**gno a **koués**to **pyaa**no
Où est la prise pour le rasoir?	**Dov'è la presa per il rasoio?**	do**vé** la **préé**za pér il ra**zoo**yo
Quel est le voltage?	**Qual è il voltaggio?**	koua**lé** il vol**tad**djo
Puis-je avoir...?	**Posso avere...?**	**pos**so a**véé**ré
aiguille et fil	**un ago e del filo**	oun **aa**go é dél **fii**lo
bouillotte	**una borsa del-l'acqua calda**	**oû**na **bor**sa dél-**lak**koua **kal**da
cendrier	**un portacenere**	oun porta**tchéé**néré
cintres	**degli attaccapanni**	**déé**lyi attakka**pan**ni
couverture (supplémentaire)	**una coperta (in più)**	**oû**na ko**pér**ta (inn pyou)
cubes de glace	**dei cubetti di ghiaccio**	déy kou**bét**ti di **ghyat**tcho
enveloppes	**delle buste**	**dél**lé **bous**té
lampe de chevet	**una lampada**	**oû**na **lamm**pada
oreiller (supplémentaire)	**un guanciale (in più)**	oun gouann**tchaa**lé (inn pyou)
papier à lettres	**della carta da lettere**	**dél**la **kar**ta da **lét**téré
savon	**una saponetta**	**oû**na sapo**nét**ta
serviette de bain	**un asciugamano**	oun achouga**maa**no
Pouvez-vous me trouver...?	**Può trovarmi...?**	pouo tro**vaar**mi
garde d'enfant	**una baby-sitter**	**oû**na «baby-sitter»
machine à écrire	**una macchina per scrivere**	**oû**na **mak**kina pér **skrii**véré
secrétaire	**una segretaria**	**oû**na ségré**taa**rya

Personnel hôtelier *Personale d'albergo*

chasseur	**il fattorino**	il fatto**rii**no
directeur	**il direttore**	il dirét**too**ré
femme de chambre	**la cameriera**	la kamé**ryéé**ra
portier	**il portiere**	il por**tyéé**ré
réceptionniste	**il capo ricevimento**	il **kaa**po ritchévi**mén**to
serveur	**il cameriere**	il kamé**ryéé**ré
serveuse	**la cameriera**	la kamé**ryéé**ra
standardiste	**la centralinista**	la tchéntrali**nis**ta
valet de chambre	**il ragazzo di portineria**	il ra**gat**tso di portiné**rii**a

Téléphone – Courrier *Telefono – Posta*

Pouvez-vous me donner ce numéro?	**Può passarmi questo numero?**	pouo pas**saar**mi **koués**to **noû**mero
Avez-vous des timbres-poste?	**Ha dei francobolli?**	a déy frannko**bol**li
Pouvez-vous me poster ceci, s.v.p.?	**Può spedirmi questo, per favore?**	puou spé**diir**mi **koués**to pér fa**voo**ré
Y a-t-il du courrier pour moi?	**C'è posta per me?**	tché **pos**ta pér mé
Y a-t-il un message pour moi?	**Vi sono messaggi per me?**	vi **soo**no més**sad**dji pér mé
Quels sont mes frais de téléphone?	**Quanto devo pagare per le telefonate?**	**kouann**to **déé**vo pa**gaa**ré pér lé téléfo**naa**té

Difficultés *Difficoltà*

Le/La ... ne fonctionne pas.	**... non funziona.**	... nonn foun**tsyoo**na
chauffage	**il riscaldamento**	il riskalda**mén**to
climatisation	**il condizionatore d'aria**	il konnditsyona**too**ré **daa**rya
lumière	**la luce**	la **loû**tché
prise de courant	**la presa di corrente**	la **préé**za di kor**rén**té
radio	**la radio**	la **raa**dyo
télévision	**la televisione**	la télévi**zyoo**né
ventilateur	**il ventilatore**	il véntila**too**ré
Le robinet coule.	**Il rubinetto perde.**	il roubi**nét**to **pér**dé
Il n'y a pas d'eau chaude.	**Non c'è acqua calda.**	nonn tché **ak**koua **kal**da
Le lavabo est bouché.	**Il lavandino è otturato.**	il lavann**dii**no é ottou**raa**to
La fenêtre/La porte est bloquée.	**La finestra/La porta è incastrata.**	la fi**nés**tra/la **por**ta é innka**straa**ta
L'ampoule est grillée.	**La lampadina è bruciata.**	la lammpa**dii**na é brou**tchaa**ta
Le rideau est déchiré.	**La tenda è strappata.**	la **tén**da é strap**paa**ta
Ma chambre n'a pas été faite.	**La mia camera non è stata rimessa in ordine.**	la **mii**a **kaa**méra nonn é **staa**ta ri**més**sa inn **or**diné

POSTE ET TÉLÉPHONE, voir page 132

Le/La/L'... est cassé(e).	**...è rotto(a).**	é **rot**to(a)
interrupteur	**l'interruttore**	linntérrout**too**ré
lampe	**la lampada**	la **lamm**pada
prise	**la presa**	la **préé**za
store	**la tenda**	la **tén**da
volet	**l'imposta**	limm**pos**ta
Pouvez-vous le/la faire réparer?	**Può farlo(la) riparare?**	pouo **far**lo(la) ripa**raa**ré

Blanchisserie – Nettoyage à sec *Lavanderia – Tintoria*

Je voudrais faire... ces vêtements.	**Vorrei far... questi abiti.**	vor**réy** far... **koués**ti **aa**biti
laver	**lavare**	la**vaa**ré
nettoyer	**pulire**	pou**lii**ré
repasser	**stirare**	sti**raa**ré
Quand seront-ils prêts?	**Quando saranno pronti?**	**kouann**do sa**ran**no **pronn**ti
Il me les faut...	**Mi occorrono...**	mi ok**kor**rono
aujourd'hui	**oggi**	**od**dji
avant vendredi	**prima di venerdì**	**prii**ma di vénér**di**
demain	**domani**	do**maa**ni
dès que possible	**il più presto possibile**	il pyou **prés**to pos**sii**bilé
Pouvez-vous raccommoder/recoudre ceci?	**Mi può rammendare/ricucire questo?**	mi pouo rammén**daa**ré/rikou**tchii**ré **koués**to
Pouvez-vous recoudre ce bouton?	**Può attacare questo bottone?**	pouo attak**kaa**ré **koués**to bot**too**né
Avez-vous du détachant?	**Ha dello smacchiatore?**	a **dél**lo smakkya**too**ré
Pouvez-vous enlever cette tache?	**Può togliere questa macchia?**	pouo **too**lyéré **koués**ta **mak**kya
Mon linge est-il prêt?	**È pronta la mia biancheria?**	é **pronn**ta la **mii**a byannké**rii**a
Ceci n'est pas à moi.	**Questo non è mio.**	**koués**to nonn é **mii**o
Il manque un vêtement.	**Manca un capo.**	**mann**ka oun **kaa**po
Celui-ci est troué.	**Questo è bucato.**	**koués**to é bou**kaa**to

JOURS DE LA SEMAINE, voir page 151

Coiffeur – Institut de beauté *Parrucchiere – Istituto di bellezza*

Y a-t-il dans l'hôtel un coiffeur pour dames/messieurs?	**C'è il parrucchiere/ barbiere nell'hotel?**	tché il parrouk**kyéé**ré/ bar**byéé**ré néllo**tél**
Puis-je prendre rendez-vous pour jeudi?	**Può fissarmi un appuntamento per giovedì?**	pouo fis**sar**mi oun appounta**mén**to pér djové**di**
Shampooing et mise en plis, s.v.p.	**Shampo e messa in piega, per favore.**	**chamm**po é **més**sa inn **pyéé**ga pér fa**voo**ré
brushing	**l'asciugatura col fono**	lachouga**toû**ra kol **foo**no
coupe de cheveux avec frange	**il taglio di capelli con frangia**	il **taa**lyo di ka**pél**li con **frann**dja
décoloration	**una decolorazione**	**oû**na dékolora**tsyoo**né
fixatif	**un fissatore**	oun fissa**too**ré
gel coiffant	**il gel**	il djél
manucure	**la manicure**	la «manicure»
masque de beauté	**la maschera di bellezza**	la **maa**skéra di bél**lét**tsa
nouvelle coiffure	**una nuova pettinatura**	**oû**na **nouoo**va péttina**toûra**
permanente	**la permanente**	la pérma**nén**té
rinçage	**uno shampo colorante**	**oû**no **chamm**po kolo**rann**té
teinture	**la tinta**	la **tinn**ta
La raie à gauche/ à droite/au milieu, s.v.p.	**La riga a sinistra/ a destra/nel mezzo, per favore.**	la **rii**ga a si**nis**tra/ a **dés**tra/nél **méd**dzo pér fa**voo**ré
Je voudrais un shampooing pour cheveux…	**Vorrei uno shampo per capelli…**	vor**réy oû**no **chamm**po pér ka**pél**li
gras/normaux/secs	**grassi/normali/ secchi**	**gras**si/nor**maa**li/ **sék**ki
Avez-vous un nuancier?	**Ha una tabella dei colori?**	a **oû**na ta**bél**la déy ko**loo**ri
Ne coupez pas trop court, s.v.p.	**Non li tagli troppo corti, per favore.**	nonn li **taa**lyi **trop**po **kor**ti pér fa**voo**ré
Un peu plus court…, s.v.p.	**Un po' più corti…, per favore.**	oun po pyou **kor**ti… pér fa**voo**ré
derrière/dessus	**dietro/in cima**	**dyé**tro/inn **tchii**ma
sur les côtés	**ai lati**	ay **laa**ti
dans la nuque	**sul collo**	soul **kol**lo

JOURS DE LA SEMAINE, voir page 151

Pas de laque, s.v.p.	**Non voglio lacca.**	nonn **voo**lyo **lak**ka
Pourriez-vous me raser, s.v.p.?	**Vorrei che mi radesse.**	vor**réy** ké mi ra**dés**sé
Pourriez-vous égaliser la/les...?	**Per favore, mi pareggi...**	pér fa**voo**ré mi pa**réd**dji
barbe	**la barba**	la **bar**ba
favoris	**le basette**	lé ba**zét**té
moustaches	**i baffi**	i **baf**fi

Départ *Partenza*

Je dois partir immédiatement.	**Devo partire subito.**	**déé**vo par**tii**ré **soû**bito
Puis-je avoir ma note, s.v.p.?	**Posso avere il conto, per favore?**	**pos**so a**véé**ré il **konn**to pér fa**voo**ré
Je pars tôt demain matin.	**Partirò domattina presto.**	parti**ro** domat**tii**na **prés**to
Veuillez préparer ma note, s.v.p.	**Mi prepari il conto, per favore.**	mi pré**paa**ri il **konn**to pér fa**voo**ré
Nous partirons vers midi.	**Partiremo verso mezzogiorno.**	parti**réé**mo **vér**so méddzo**djor**no
Tout est-il compris?	**È tutto compreso?**	é **tout**to komm**préé**zo
Je crois qu'il y a une erreur dans la note.	**Credo che ci sia un errore nel conto.**	**kréé**do ké tchi **sii**a oun ér**roo**ré nél **konn**to
Puis-je payer avec une carte de crédit?	**Posso pagare con una carta di credito?**	**pos**so pa**gaa**ré konn **oû**na **kar**ta di **kréé**dito
Pouvez-vous appeler un taxi?	**Può chiamare un taxi?**	pouo kya**maa**ré oun **ta**xi
Pouvez-vous faire descendre nos bagages?	**Può far portare giù i nostri bagagli?**	pouo far por**taa**ré djou i **nos**tri ba**gaa**lyi
Je suis très pressé(e).	**Ho molta fretta.**	o **mol**ta **frét**ta
Voici ma prochaine adresse.	**Ecco il mio prossimo indirizzo.**	**ék**ko il **mii**o **pros**simo inndi**rit**tso
Nous avons fait un séjour très agréable.	**È stato un soggiorno molto piacevole.**	é **staa**to oun sod**djor**no **mol**to pya**tchéé**volé

POURBOIRES, voir page 3 de couverture

Camping *Campeggio*

Dans les localités touristiques et les villes d'une certaine importance vous trouverez dans les offices du tourisme une liste des terrains de camping avec indication des installations disponibles et des prix. Le Touring Club Italiano et l'Automobile Club d'Italia publient des listes des terrains de camping et des villages de vacances; vous pouvez les obtenir dans les librairies ou les consulter dans les offices du tourisme.

Y a-t-il un terrain de camping près d'ici?	**C'è un campeggio qui vicino?**	tché oun kam**péd**djo koui vi**tchii**no
Est-il en bord de mer?	**È in riva al mare?**	é inn **rii**va al **maa**ré
Pouvons-nous camper ici?	**Possiamo campeggiare qui?**	pos**syaa**mo kampéd**djaa**ré koui
Avez-vous de la place pour une tente/une caravane?	**C'è posto per una tenda/una roulotte?**	tché **pos**to pér **oû**na **tén**da/**oû**na «roulotte»
Quel est le prix...?	**Qual è il prezzo...?**	koua**lé** il **prét**tso
par jour	**al giorno**	al **djor**no
par personne	**per persona**	pér pér**soo**na
pour une caravane	**per una roulotte**	pér **oû**na «roulotte»
pour une tente	**per una tenda**	pér **oû**na **tén**da
pour une voiture	**per una macchina**	pér **oû**na **mak**kina
La taxe de séjour est-elle comprise?	**È compresa la tassa di soggiorno?**	é komm**prée**za la **tas**sa di sod**djor**no
Y a-t-il...?	**C'è...?**	tché
eau potable	**l'acqua potabile**	**lak**koua po**taa**bilé
électricité	**l'elettricità**	léléttritchi**ta**
magasin d'alimentation	**un negozio di alimentari**	oun né**go**tsyo di alimén**taa**ri
piscine	**una piscina**	**oû**na pi**chii**na
place de jeux	**il parco giochi**	il **par**ko **djoo**ki
Où sont les douches/toilettes?	**Dove sono le docce/i gabinetti?**	**doo**vé **soo**no lé **dot**tché/i gabi**nét**ti
Où puis-je me procurer du gaz butane?	**Dove posso trovare del gas butano?**	**doo**vé **pos**so tro**vaa**ré dél gaz bou**taa**no
Peut-on louer des bungalows?	**Si possono affittare dei bungalow?**	si **pos**sono affit**taa**ré déy «bungalow»

MATÉRIEL DE CAMPING, voir page 108

Restaurants

Autogrill
(**aou**togril)
restaurant situé sur l'autoroute, souvent self-service.

Bar
(bar)
endroit où l'on consomme en général debout outre le café et d'autres boissons (alcool y compris), des sandwichs, des pâtisseries et des glaces. On paie habituellement avant de consommer.

Caffè
(kaf**fé**)
très semblable au *bar*, on y sert du café, des boissons variées (avec ou sans alcool), de la pâtisserie, des sandwichs et autres «en-cas».

Gelateria
(djélaté**rii**a)
café-glacier; on y sert une étonnante variété de glaces *(gelati)* délicieuses.

Locanda
(lo**kann**da)
établissement modeste, de type familial, où l'on sert des plats régionaux.

Osteria
(osté**rii**a)
on y sert surtout du vin et des repas simples.

Paninoteca
(panino**téé**ka)
offre une très grande variété de sandwichs *(panini)* chauds ou froids.

Pizzeria
(pittsé**rii**a)
comme son nom l'indique, on peut y consommer (ou parfois acheter pour emporter) toutes sortes de *pizze.*

Ristorante
(risto**rann**té)
établissement généralement plus grand, plus élégant et souvent plus coûteux qu'une *trattoria.*

Rosticceria
(rostittché**rii**a)
rôtisserie où l'on peut manger sur place ou acheter des plats à emporter.

Sala da tè
(**saa**la da té)
salon de thé, servant des pâtisseries et des glaces.

Taverna
(ta**vér**na)
à l'origine établissement modeste servant du vin, peut parfois s'être transformé en établissement coûteux.

Tavola calda
(**taa**vola **kal**da)
«snack-bar», offrant pâtes et petite restauration rapide.

Trattoria
(tratto**rii**a)
restaurant à prix moyens offrant des plats simples souvent savoureux. Il vaut la peine d'en trouver une fréquentée par les Italiens eux-mêmes.

La carte *(il menù)* est affichée à la devanture de la plupart des restaurants. Le *menù turistico* ou *a prezzo fisso* (menu du jour comportant trois plats) est en général moins cher que le repas *à la carte.*

Tous les établissements doivent établir une facture *(la ricevuta fiscale)* indiquant le montant de l'*I.V.A.* (T.V.A. italienne). Tout client peut être tenu de la présenter, même hors de l'établissement; l'absence de ce papier est punissable.

Bien que le couvert *(il coperto)* et le service *(il servizio)* soient inclus, il est d'usage de laisser un pourboire en plus.

Heures des repas *Orari dei pasti*

Petit déjeuner (*la colazione* – la kola**tsyoo**né) à l'hôtel: généralement de 7 à 10 heures;

Déjeuner (*il pranzo* – il **prann**dzo): 12 h. 30 à 14 ou 15 heures;

Dîner (*la cena* – la **tchéé**na): dès 19 h. 30 ou 20 heures. Certains hôtels-restaurants ouvrent plus tôt pour leurs hôtes.

NB: Dans certains milieux, on a pris l'habitude d'appeler le repas de midi *colazione* et celui du soir *pranzo*. Si vous êtes invité, ne manquez donc pas de vous faire préciser de quel repas il s'agit.

La cuisine italienne *La cucina italiana*

Pour de trop nombreux étrangers, la cuisine italienne signifie surtout: spaghetti, macaroni et pizza. Certes, les plats à base de pâtes sont nombreux et variés. Mais vous serez étonnés par la variété et la richesse des autres mets qui vous seront proposés: de savoureux hors-d'œuvre simples ou raffinés, des soupes longuement mijotées, des viandes préparées selon de très anciennes recettes, des poissons et des fruits de mer frais, des légumes et des fruits gorgés de soleil, quantité de fromages différents, sans oublier enfin les petits gâteaux, les tourtes et les glaces.

POURBOIRES, voir page 3 de couverture

Les Italiens aiment boire et manger et s'accordent le temps nécessaire. Un repas se compose au minimum de trois plats; au restaurant, on en commande souvent plus: des hors-d'œuvre *(antipasto)* pour commencer, ensuite des *pasta* ou une soupe *(minestra)*, du poisson ou de la viande en plat principal *(secondo piatto)* avec de la salade ou un légume *(contorno)*, enfin du fromage *(formaggio)*, des fruits *(frutta)* et un dessert *(dolce)*. Le tout est arrosé de vin *(vino)* et d'eau minérale *(acqua minerale)*.

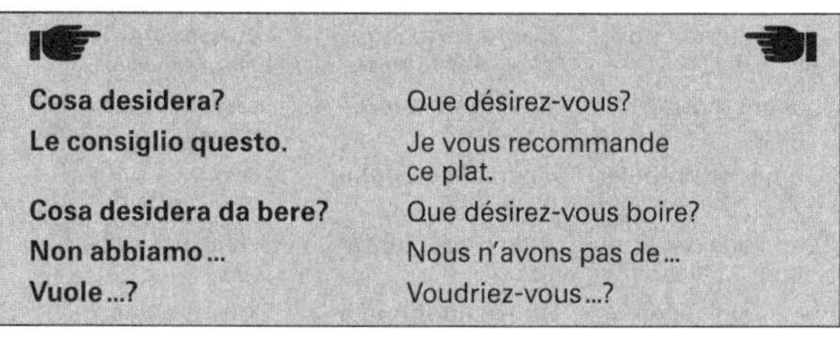

Cosa desidera?	Que désirez-vous?
Le consiglio questo.	Je vous recommande ce plat.
Cosa desidera da bere?	Que désirez-vous boire?
Non abbiamo...	Nous n'avons pas de...
Vuole...?	Voudriez-vous...?

Avez-vous faim? *Ha fame?*

J'ai faim/soif.	**Ho fame/sete.**	o **faa**mé/**séé**té
Je voudrais manger/ boire quelque chose.	**Vorrei mangiare/ bere qualcosa.**	vor**réy** mann**djaa**ré/ **béé**ré koual**koo**za
Pouvez-vous me recommander un bon restaurant?	**Può raccomandarmi un buon ristorante?**	pouo rakkomann**daar**mi oun bouonn risto**rann**té
Est-ce un restaurant à prix raisonnables?	**È un ristorante non troppo caro?**	é oun risto**rann**té nonn **trop**po **kaa**ro

Si vous avez l'intention de manger dans un restaurant renommé, il vaut mieux réserver une table à l'avance.

Je voudrais réserver une table pour 4 personnes...	**Vorrei riservare un tavolo per 4 persone...**	vor**réy** risér**vaa**ré oun **taa**volo pér 4 pér**soo**né
pour ce soir à 8 h.	**per stasera alle 8**	pér sta**séé**ra **al**lé 8
pour demain midi	**per domani a mezzogiorno**	pér do**maa**ni a meddzo**djor**no

HEURES, voir page 154

Pourrions-nous avoir une table...?	**Potremmo avere un tavolo...?**	po**trém**mo a**véé**ré oun **taa**volo
dans un coin	**d'angolo**	**dann**golo
près de la fenêtre	**vicino alla finestra**	vi**tchii**no **al**la fi**nés**tra
dehors	**all'aperto**	alla**pér**to
sur la terrasse	**sulla terrazza**	**soul**la tér**rat**tsa
dans le coin non-fumeur	**nel settore per non fumatori**	nél sét**too**ré pér nonn fouma**too**ri

Questions et commandes *Chiedere e ordinare*

Garçon/Mademoiselle, s.v.p.	**Cameriere/Signorina, per favore.**	kamé**ryéé**ré/signo**rii**na pér fa**voo**ré
Pouvons-nous avoir la carte?	**Possiamo avere il menù?**	pos**syaa**mo a**véé**ré il mé**nou**
Que nous conseillez-vous?	**Cosa ci consiglia?**	**koo**za tchi konn**sii**lya
Avez-vous des spécialités locales?	**Avete specialità locali?**	a**véé**té spétchali**ta** lo**kaa**li
Avez-vous un menu à prix fixe/un menu touristique?	**Avete un menù a prezzo fisso/un menù turistico?**	a**véé**té oun mé**nou** a **prét**tso **fis**so/oun mé**nou** tou**ris**tiko
Avez-vous des plats végétariens?	**Ha dei piatti per vegetariani?**	a déy **pyat**ti pér védjéta**ryaa**ni
Qu'est-ce que c'est?	**Cos'è, per favore?**	ko**zé** pér fa**voo**ré
Pouvons-nous avoir une assiette pour l'enfant?	**Possiamo avere un piatto per il bambino?**	pos**syaa**mo a**véé**ré oun **pyat**to pér il bamm**bii**no
Je suis pressé(e). Pouvez-vous me servir tout de suite?	**Ho fretta. Può servirmi subito?**	o **frét**ta. pouo ser**viir**mi **soû**bito
Je voudrais boire quelque chose.	**Vorrei bere qualcosa.**	vor**réy** **béé**ré koual**koo**za
Puis-je avoir la carte des boissons/des vins?	**Potrei avere la lista delle bevande/dei vini?**	po**tréy** a**véé**ré la **lis**ta **dél**lé bé**vann**dé/déy **vii**ni
Pouvez-vous nous apporter un/une...?	**Potremmo avere..., per favore?**	po**trém**mo a**véé**ré... pér fa**voo**ré
assiette	**un piatto**	oun **pyat**to
cendrier	**un portacenere**	oun porta**tchéé**néré

chaise supplémentaire	**un'altra sedia**	ou**nal**tra **séé**dya
couteau	**un coltello**	oun kol**tél**lo
cuillère	**un cucchiaio**	oun kouk**kyaa**yo
fourchette	**una forchetta**	**oû**na for**két**ta
serviette	**un tovagliolo**	oun tova**lyoo**lo
tasse	**una tazza**	**oû**na **tat**tsa
verre de...	**un bicchiere di...**	un bik**kyéé**ré di
Je voudrais...	**Vorrei...**	vor**réy**
beurre	**del burro**	dél **bour**ro
citron	**del limone**	dél li**moo**né
huile	**dell'olio**	dél**loo**lyo
moutarde	**della senape**	**dél**la **séé**napé
pain/petit pain	**del pane/un panino**	dél **paa**né/oun pa**nii**no
poivre	**del pepe**	dél **péé**pé
sel	**del sale**	dél **saa**lé
sucre	**dello zucchero**	**dél**lo **tsouk**kéro
vinaigre	**dell'aceto**	dél**la**tchééto
Puis-je avoir encore un peu de...?	**Posso avere ancora un po' di...?**	**pos**so a**véé**ré ann**koo**ra oun po di
Rien qu'une petite portion.	**Soltanto una piccola porzione.**	sol**tann**to **oû**na **pik**kola por**tsyoo**né
Plus rien, merci.	**Nient'altro, grazie.**	nyén**tal**tro **graa**tsyé

Régime *Dieta*

Je suis au régime.	**Sono a dieta.**	**soo**no a **dyéé**ta
Je dois éviter les plats contenant...	**Devo evitare i cibi che contengono...**	**déé**vo évi**taa**ré i **tchii**bi ké konn**tén**gono
alcool	**alcool**	**al**kol
farine/graisse	**farina/grasso**	fa**rii**na/**gras**so
sel/sucre	**sale/zucchero**	**saa**lé/**tsouk**kéro
Avez-vous... pour diabétiques?	**Avete... per diabetici?**	a**véé**té... pér dya**béé**titchi
gâteaux	**dei dolci**	déy **dol**tchi
jus de fruits	**del succo di frutta**	dél **souk**ko di **frout**ta
menu spécial	**un menù speciale**	oun mé**nou** spé**tchaa**lé
Pourrais-je avoir... à la place du dessert?	**Potrei avere... invece del dessert?**	po**tréy** a**véé**ré... inn**véé**tché del «dessert»
Puis-je avoir de l'édulcorant?	**Posso avere del dolcificante?**	**pos**so a**véé**ré dél doltchifi**kann**té

CARTE, voir page 39

Petit déjeuner *Colazione*

Dans les hôtels de catégorie moyenne, on sert généralement du café ou du thé, avec pain, beurre et confiture. Dans les hôtels de catégorie supérieure, il est possible de commander un petit déjeuner plus copieux.

Quant aux Italiens, ils se contentent le plus souvent d'un *cappuccino* (café avec du lait chaud battu en mousse et garni d'un peu de poudre de cacao), accompagné d'une brioche.

Je voudrais prendre mon petit déjeuner.	**Vorrei fare colazione.**	vor**réy** **faa**ré kola**tsyoo**né
Je voudrais un/du...	**Desidero...**	dé**zii**déro
café	**un caffè**	oun kaf**fé**
au lait	**macchiato**	mak**kyaa**to
décaféiné	**decaffeinato**	dékafféi**naa**to
chocolat (chaud)	**una cioccolata (calda)**	**oû**na tchokko**laa**ta (**kal**da)
jus d'orange	**un succo d'arancia**	oun **souk**ko da**rann**tcha
lait	**del latte**	dél **lat**té
chaud/froid	**caldo/freddo**	(**kal**do/**fréd**do)
thé	**del tè**	dél té
au lait/citron	**con latte/limone**	konn **lat**té/li**moo**né
Puis-je avoir...?	**Posso avere...?**	**pos**so a**véé**ré
beurre	**del burro**	dél **bour**ro
céréales	**dei cereali**	déy tchéré**aa**li
confiture	**della marmellata**	**dél**la marmél**laa**ta
croissants	**dei cornetti**	déy kor**nét**ti
fromage	**del formaggio**	dél for**mad**djo
miel	**del miele**	dél **myéé**lé
œuf	**un uovo**	oun ou**oo**vo
dur/mollet	**sodo/bazzotto**	**soo**do/bad**dzot**to
pain	**del pane**	dél **paa**né
pain croustillant	**delle fette biscottate**	**dél**lé **fét**té biskot**taa**té
petits pains	**dei panini**	déy pa**nii**ni
toast	**del pane tostato**	dél **paa**né to**staa**to
Pouvez-vous m'apporter...?	**Può portarmi...?**	pouo por**tar**mi
édulcorant	**un dolcificante**	oun doltchifi**kann**té
eau chaude	**dell'acqua calda**	del**lak**koua **kal**da
poivre/sel	**del pepe/del sale**	dél **péé**pé/dél **saa**lé
sucre	**dello zucchero**	**dél**lo **tsouk**kéro
verre d'eau	**un bicchiere d'acqua**	oun bik**kyéé**ré **dak**koua

Qu'y a-t-il sur la carte? *Che c'è sul menù?*

Nous avons divisé ce chapitre en suivant l'ordre habituel des plats. Sous chaque titre, vous trouverez une liste alphabétique des plats en italien avec leur traduction française. En cas de besoin, vous pourrez montrer ce livre au garçon qui saura vous indiquer quels sont les mets servis dans son établissement. Vous trouverez, en outre, en page 35 à 37 des phrases et tournures usuelles, et en pages 61 et 62 celles concernant la facture et d'éventuelles réclamations.

Pour lire la carte *Per leggere il menù*

Menù a prezzo fisso	Menu à prix fixe
Piatto del giorno	Plat du jour
Lo chef consiglia...	Suggestion du chef...
Specialità della casa	Spécialité de la maison
Alla casalinga	Fait maison
Contorno a scelta	Garniture au choix
I nostri piatti di carne sono serviti con contorno	Les viandes sont servies avec garniture
Piatti da farsi	Préparés à la demande (implique un temps d'attente)
Su ordinazione	Sur commande
Supplemento	Avec supplément
Verdure di stagione	Légumes de saison
Attesa: 15 minuti	15 minutes d'attente
Pane, grissini e coperto L...	Pain, *grissini* (petites flûtes) et couvert ... lires
Piatti freddi	Plats froids

antipasti	anntí**pas**ti	hors-d'œuvre
bevande	bé**vann**dé	boissons
cacciagione	kattcha**djoo**né	gibier
carne (ai ferri)	**kar**né (ay **fér**ri)	viande (cuite au gril)
crostacei	kro**staa**tchéy	crustacés
dessert	«dessert»	dessert
formaggi	for**mad**dji	fromages
frutta	**frout**ta	fruits
frutti di mare	**frout**ti di **maa**ré	fruits de mer
gelati	djé**laa**ti	glaces
insalate	innsa**laa**té	salades
minestre	mi**nés**tré	soupes, potages
pasta	**pas**ta	pâtes
pesci	**pé**chi	poissons
pollame	pol**laa**mé	volaille
primi piatti	**prii**mi **pyat**ti	premier plat
riso	**rii**zo	riz
secondi piatti	sé**konn**di **pyat**ti	plats principaux
verdure	vér**doû**ré	légumes
vini	**vii**ni	vins

Hors-d'œuvre – Entrées *Antipasti*

Il y a bien sûr les «classiques»: jambon cru, mortadelle, salami et coppa. Mais il existe aussi une grande variété d'*antipasti*, plats froids souvent marinés et bien relevés.

Je voudrais une entrée.	**Vorrei un antipasto.**	vor**réy** oun annti**pas**to
affettati misti	afét**taa**ti **mis**ti	charcuterie assortie
antipasto misto	annti**pas**to **mis**to	hors-d'œuvre variés
carciofi	kar**tchoo**fi	artichauts
frutti di mare	**frout**ti di **maa**ré	fruits de mer
olive	o**lii**vé	olives
nere/verdi	**néé**ré/**vér**di	noires/vertes
farcite	far**tchii**té	farcies
ostriche	**os**triké	huîtres
prosciutto	pro**chout**to	jambon
cotto/crudo	**kot**to/**kroû**do	cuit/cru
salame	sa**laa**mé	salami
salmone affumicato	sal**moo**né affoumi**kaa**to	saumon fumé
sottaceti	sotta**tchéé**ti	légumes au vinaigre
tonno	**ton**no	thon

bagna cauda (**ba**gna **kaou**da) — sauce faite d'un mélange d'huile d'olive, d'ail et d'anchois finement hachés dans laquelle on trempe des morceaux de légumes crus

carciofini sott'olio (kartcho**fii**ni sot**too**lyo) — cœurs d'artichauts à l'huile

insalata di frutti di mare (innsa**laa**ta di **frout**ti di **maa**re) — mélange de crevettes, d'encornets, de poulpes et de morceaux de calmars coupés en dés marinés dans l'huile et du jus de citron

insalata di pollo (innsa**laa**ta di **pol**lo) — salade de volailles et de laitue, assaisonnée de citron et de crème

mozzarella con pomodori (mottsa**rél**la konn pomo**doo**ri) — tomates et mozzarella (fromage) coupées en tranches, relevées de basilic, poivre et huile

prosciutto crudo con melone (pro**chout**to **kroû**do konn mé**loo**né) — melon et jambon cru (les jambons les plus renommés sont le *prosciutto di Parma* et le *San Daniele*)

Œufs – Omelettes *Uova – Frittate*

Puis-je avoir un œuf/des œufs?	**Posso avere un uovo/delle uova?**	**pos**so a**véé**ré oun ou**oo**vo/ **dél**lé ou**oo**va
uova al prosciutto	ou**oo**va al pro**chou**tto	œufs au jambon
uova strapazzate	ou**oo**va strapa**ttsaa**té	œufs brouillés
uovo al tegame	ou**oo**vo al té**gaa**mé	œuf au plat
uovo sodo	ou**oo**vo **soo**do	œuf dur
Je voudrais une omelette.	**Vorrei una frittata.**	vor**réy oû**na frit**taa**ta
frittata	frit**taa**ta	omelette
di carciofi	di kar**tchoo**fi	aux artichauts
di cipolle	di tchi**pol**lé	aux oignons
di spinaci	di spi**naa**tchi	aux épinards
semplice	**sém**plitché	nature
frittatine piemontesi	fritta**tii**né pyémonn**téé**zi	fine omelette au fromage et à la crème

Pizza *Pizza*

Cette pâte à pain, que l'on peut garnir de mille manières, est, avec la *pasta*, l'une des spécialités italiennes les plus célèbres. Les bars à pizza vous permettent de vous régaler sur place d'un morceau tout frais sorti du four ou de l'emporter pour le déguster plus tard. Le *calzone* est une pizza pliée en chausson. On vous proposera de nombreuses variantes parmi lesquelles:

ai funghi (ay **foun**ghi)	mozzarella, tomates et champignons
capricciosa (kaprit**tchoo**za)	spécialité du chef
margherita (marghé**rii**ta)	mozzarella, tomates et origan
napoletana (napolé**taa**na)	c'est la pizza classique, garnie de mozzarella, tomates, anchois, câpres et origan
quattro stagioni (**kouat**tro sta**djoo**ni)	«quatre saisons»: mozzarella et tomates avec, sur chaque quart, une garniture différente (par ex. champignons, jambon, artichauts et fruits de mer)
siciliana (sitchi**lyaa**na)	mozzarella, tomates, olives noires et câpres

Soupes et potages *Minestre, zuppe*

Il y a en fait trois appellations différentes: *brodo* (bouillon), *minestra* (soupe contenant du riz, des pâtes ou des légumes), *zuppa* (différentes soupes servies en général avec des croûtons ou des tranches de pain grillé).

Voici un petit aperçu:

brodetto di pesce (bro**dét**to di **pé**ché)	soupe de poissons avec des oignons et de la pulpe de tomate
brodo di pollo (**broo**do di **pol**lo)	bouillon de poule
buridda (bou**rid**da)	soupe de poissons épicée
busecca (bou**zék**ka)	soupe aux tripes et légumes
cacciucco (kat**tchouk**ko)	soupe de poissons bien relevée, avec poivron vert, oignons, ail et vin rouge, servie sur des croûtons à l'ail
crema di legumi (**krééma** di lé**goû**mi)	potage-crème de légumes
minestra di pasta e fagioli (mi**nés**tra di **pas**ta é fa**djoo**li)	soupe consistante avec pâtes et haricots blancs
minestrone (miné**stroo**né)	soupe épaisse aux légumes (avec parfois aussi des macaronis) servie avec du parmesan; épinards, basilic et persil donnent sa couleur verte à la *minestrone verde*
passato di verdura (pas**saa**to di verd**oû**ra)	crème de légumes, habituellement servie avec des croûtons
pastina in brodo (pas**tii**na inn **broo**do)	bouillon de viande ou de poule avec des petites pâtes
zuppa alla cacciatora (**tsoup**pa **al**la kattcha**too**ra)	soupe à la viande et aux champignons
zuppa pavese (**tsoup**pa pa**vée**zé)	bouillon concentré avec de l'œuf battu, des croûtons et du fromage râpé
zuppa di vongole (**tsoup**pa di **vonn**golé)	soupe aux palourdes et vin blanc – spécialité napolitaine

Pâtes *Pasta*

Cette appellation générale de *pasta* recouvre une variété presque infinie de pâtes de toutes formes et présentations. La façon la plus simple d'apprêter la *pasta* c'est *al burro* (au beurre), *al sugo* (à la sauce tomate) ou encore avec différentes sauces. Très appréciées aussi: les pâtes farcies à la viande, au fromage ou aux légumes, gratinées sous une sauce à la tomate ou à la crème.

Notez qu'en Italie les pâtes se servent avant le plat principal. Enfin, si vous en avez l'occasion, commandez de préférence les *pasta fresca fatta in casa* (pâtes fraîches maison).

Quelques variantes:

agnolotti (agno**lot**ti)	sorte de petits raviolis farcis de viande et de légumes bien épicés
cannelloni (kannél**loo**ni)	sorte de macaronis géants farcis de viande, jambon ou épinards, gratinés
cappelletti (kappél**lét**ti)	pâtes en forme de petits coussins, farcis de viande hachée, fromage, œufs, pain émietté, servis dans un bouillon ou à la crème
fettuccine (féttout**tchii**né)	appellation romaine des *tagliatelle*
lasagne (la**za**gné)	nouilles plates très larges; les *lasagne al forno* sont un plat complet formé de couches alternées de pâtes, sauce à la viande et aux tomates, sauce béchamel et fromage râpé, gratiné au four. Le vert des *lasagne verdi* est obtenu par l'adjonction d'épinards au moment de la fabrication des pâtes.
pappardelle (pappar**dél**lé)	nouilles plates assez larges servies avec différents ragoûts de viande ou de lièvre
penne (**pén**né)	petits macaronis (ressemblent à une plume à bec = *penna*)
rigatoni (riga**too**ni)	sorte de macaroni avec des «cannelures» qui retiennent bien la sauce
tagliatelle (talya**tél**lé)	nouilles plates étroites
tortellini (tortél**lii**ni)	petits anneaux de pâte, farcis de viande bien épicée, servis dans du bouillon ou de la crème

Riz *Riso*

En Italie du Nord, les pâtes sont souvent remplacées par du riz. Le *risotto* est un riz cuit dans du bouillon, assaisonné de beurre et de parmesan râpé.

risi e bisi	**rii**zi é **bii**zi	riz et petits pois
riso in bianco	**rii**zo inn **byann**ko	riz au beurre
risotto	ri**zo**tto	riz
alla milanese	**al**la mila**néé**zé	au safran
con funghi	konn **foun**ghi	aux champignons
pescatore	péska**too**ré	aux fruits de mer

Sauces *Salse*

Les sauces qui accompagnent les pâtes sont aussi délicieuses que variées et les chefs italiens sont des maîtres en la matière. Il y a quantité de spécialités régionales et il n'est pas possible de les énumérer toutes.

aglio, olio, peperoncino (**aa**lyo **oo**lyo pépéronn**tchii**no)	de l'ail et des piments revenus dans de l'huile d'olive avec du persil
amatriciana (amatri**tchaa**na)	pulpe de tomates avec poivrons rouges, lard, oignon, ail et vin blanc
bolognese (bolo**gnéé**zé)	bœuf haché avec tomates, oignons et épices
carbonara (karbo**naa**ra)	œuf cru battu, mélangé à des lardons, du fromage râpé et du persil ou du basilic
carrettiera (karrét**tyéé**ra)	thon, champignons, concentré de tomates, poivre moulu au moment de servir
marinara (mari**naa**ra)	coquillages et crevettes, tomates, olives et ail
milanese (mila**néé**zé)	tomates, lard, oignons, beurre et huile d'olive
pesto alla genovese (**pés**to **al**la djéno**véé**zé)	basilic et ail réduits en pommade, avec des pignons hachés, du parmesan (ou du fromage de brebis) et de l'huile d'olive
pommarola alla napoletana (pomma**roo**la **al**la napolé**taa**na)	tomates, ail et persil

puttanesca (pouttanéska)	sorte de pommade à base de câpres, d'olives noires, d'ail, d'huile d'olive et de poivre noir
ragù (ragou)	comme la *bolognese*
con le vongole (konn lé vonngolé)	coquillages, ail, persil, poivre, huile d'olive avec parfois des tomates

Poissons et fruits de mer *Pesci e frutti di mare*

Je voudrais du poisson.	**Vorrei del pesce.**	vorréy dél péché
Quelles sortes de fruits de mer avez-vous?	**Che genere di frutti di mare avete?**	ké djéénéré di froutti di maaré avéété

acciughe	attchoughé	anchois
aguglie	agoûlyé	aiguilles de mer
anguilla	anngouilla	anguille
aragosta	aragosta	langouste
aringa	arinnga	hareng
arselle	arséllé	arches (sorte de moules)
baccalà	bakkala	morue séchée
branzino	brandziino	bar (loup de mer)
calamaretti	kalamarétti	jeunes calmars
calamari	kalamaari	calmars
carpa	karpa	carpe
cozze	kottsé	moules
dentice	déntitché	denté (sorte de brème)
gamberetti	gambérétti	crevettes
gamberi	gammbéri	écrevisses
granchio	grannkyo	crabe
lampreda	lammprééda	lamproie
luccio	louttcho	brochet
merluzzo	merlouttso	morue
muggine	mouddjiné	mulet
nasello	nazéllo	merlan
orata	oraata	dorade
ostriche	ostriké	huîtres
pesce persico	péché pérsiko	perche
pesce spada	péché spaada	espadon
pianuzza	pyanouttsa	plie
razza	rattsa	raie
ricci di mare	rittchi di maaré	oursins
rombo	rommbo	turbot
salmone	salmooné	saumon

sardine	sar**dii**né	sardines
scampi	**skamm**pi	langoustines
seppia	**sép**pya	seiche
sgombro	**sgomm**bro	maquereau
sogliola	**soo**lyola	sole
spigola	**spii**gola	loup de mer (bar)
tonno	**ton**no	thon
triglia	**trii**lya	rouget
trota	**troo**ta	truite
vongole	**vonn**golé	palourdes

bouilli	**lesso**	**lés**so
cru	**crudo**	**kroû**do
frit	**fritto**	**frit**to
au gratin	**gratinato**	grati**naa**to
fumé	**affumicato**	affoumi**kaa**to
grillé	**alla griglia**	**al**la **grii**lya
mariné	**marinato**	mari**naa**to
meunière	**fritto nel burro**	**frit**to nél **bour**ro
poché	**affogato**	affo**gaa**to

anguilla alla veneziana (ann**gouil**la **al**la vénét**syaa**na) — anguille mijotée dans une sauce au thon et au citron

baccalà alla vicentina (bakka**la al**la vitchén**tii**na) — morue cuite dans du lait avec de l'oignon, de l'ail et des anchois

cozze alla marinara (**kot**tsé **al**la mari**naa**ra) — moules cuites au vin blanc, avec de l'ail et du persil

fritto misto (**frit**to **mis**to) — friture composée d'un mélange de poissons et fruits de mer

polpi in purgatorio (**pol**pi inn pourga**too**ryo) — poulpes frits avec des tomates, des poivrons, de l'ail et du persil

sgombri in umido (**sgomm**bri inn **oû**mido) — maquereaux cuits à l'étuvée dans du vin blanc

sogliola alla mugnaia (**soo**lyola **al**la mou**gnaa**ya) — sole meunière, assaisonnée de jus de citron et de persil

triglie alla livornese (**trii**lyé **al**la livor**néé**zé) — rougets accompagnés d'une sauce tomate relevée d'ail, de persil et de poivre

Viande *Carne*

Je voudrais...	**Vorrei...**	vor**réy**
agneau	**dell'agnello**	délla**gnél**lo
bœuf	**del manzo**	dél **mann**dzo
mouton	**del montone**	dél monn**too**né
porc	**del maiale**	dél ma**yaa**lé
veau	**del vitello**	dél vi**tél**lo

animelle di vitello	ani**mél**lé di vi**tél**lo	ris de veau
arrosto	ar**ros**to	rôti
bistecca	bis**ték**ka	steak
di filetto	di fi**lét**to	dans le filet
braciola	bra**tchoo**la	côtelette
cervello	tchér**vél**lo	cervelle
capretto	ka**prét**to	cabri
cosciotto	ko**chot**to	gigot
costata	ko**staa**ta	côte de bœuf
costola	**kos**tola	côte
costoletta	kosto**lét**ta	côtelette
cotechino	koté**kii**no	saucisse de porc cuite
fegato	**féé**gato	foie
filetto	fi**lét**to	filet
fesa	**féé**za	noix de veau
lesso di manzo	**lés**so di **mann**dzo	bouilli de bœuf
lingua	**linn**goua	langue
lombata	lomm**baa**ta	aloyau
medaglioni	méda**lyoo**ni	médaillons
midollo	mi**dol**lo	moelle
nodini	no**dii**ni	côtelettes de veau
pancetta (affumicata)	pann**tchét**ta (affoumi**kaa**ta)	lard (fumé)
petto	**pét**to	poitrine
polpette	pol**pét**té	croquettes
polpettone	polpét**too**né	rôti de viande hachée
porchetta/porcellino da latte	por**két**ta/portchél**lii**no da **lat**té	cochon de lait
prosciutto	pro**chout**to	jambon
rognoni	ro**gnoo**ni	rognons
salsiccia	sal**sit**tcha	saucisse
salumi	sa**loû**mi	charcuterie
scaloppina	skalop**pii**na	escalope
spalla	**spal**la	épaule
spezzatino	spéttsa**tii**no	ragoût
spiedini	spyé**dii**ni	brochettes
trippe	**trip**pé	tripes
zampone	tsamm**poo**né	pied de porc farci

abbacchio (ab**bak**kyo)	agneau grillé
bistecca alla fiorentina (bi**sték**ka **al**la fyorén**tii**na)	steak de bœuf grillé au feu de bois, assaisonné de poivre, persil et jus de citron
bollito misto (bol**lii**to **mis**to)	viande de bœuf et de veau, jambon, saucisse et langue cuits dans un bouillon et servis avec une sauce verte
cima alla genovese (**tchii**ma **al**la djéno**véé**zé)	poitrine de veau farcie avec un mélange de saucisse, œufs et champignons
corda (**kor**da)	tripes d'agneau braisées, dans une sauce tomate avec des petits pois (Sardaigne)
costata alla pizzaiola (ko**staa**ta **al**la pittsa**yoo**la)	côte de bœuf en sauce tomate, relevée de poivrons, champignons, ail et basilic
costoletta alla milanese (kosto**lét**ta **al**la mila**néé**zé)	escalope de veau panée
farsumagru (farsou**ma**grou)	rôti de bœuf ou de veau farci d'un mélange de saucisse, œufs, fromage, oignons, ail et persil, mijoté dans une sauce tomate (Sicile)
fegato alla veneziana (**féé**gato **al**la véné**tsyaa**na)	foie de veau finement émincé, grillé avec des oignons
involtini (innvol**tii**ni)	fines tranches de viande farcies et roulées («oiseaux sans tête»)
ossi buchi (**os**si **boû**ki)	jarrets de veau mijotés dans une sauce au vin, tomates et ail
piccata al marsala (pik**kaa**ta al mar**saa**la)	petites escalopes revenues dans une sauce au marsala (vin doux de Sicile)
saltimbocca alla romana (saltimm**bok**ka **al**la ro**maa**na)	escalope de veau garnie d'une tranche de jambon cru et d'une feuille de sauge, rapidement sautée dans du beurre et déglacée au vin
scaloppine alla Valdostana (skalop**pii**né **al**la valdo**staa**na)	escalope de veau farcie de jambon et de fromage
trippe alla fiorentina (**trip**pé **al**la fyorén**tii**na)	tripes aux tomates et jambon, servies avec du parmesan
vitello tonnato (vi**tél**lo ton**naa**to)	du veau coupé en très fines tranches, recouvert d'une sauce au thon, mayonnaise, anchois et câpres

à la broche	**allo spiedo**	allo **spyéé**do
bouilli	**lesso**	**lés**so
braisé	**brasato**	bra**zaa**to
farci	**farcito**	far**tchii**to
au four	**al forno**	al **for**no
grillé	**alla griglia/ai ferri**	alla **grii**lya/aï **fér**ri
en ragoût	**in umido**	inn **oû**mido
rôti	**arrosto**	ar**ros**to
saignant	**al sangue**	al **sann**goué
à point	**a puntino**	a poun**tii**no
bien cuit	**ben cotto**	bén **kot**to

Volaille – Gibier *Pollame – Cacciagione*

Le poulet et la dinde, tous deux fort appréciés, sont apprêtés de nombreuses manières. En saison, de succulents plats de gibier sont offerts aux gourmets. Les oiseaux *(uccelli)* – même les espèces protégées chez nous – sont hélas encore considérés comme une gourmandise en Italie.

Je voudrais du gibier.	**Vorrei della cacciagione.**	vor**réy dél**la kattcha**djoo**né
Quelle sorte de volailles servez-vous?	**Che piatti di pollame servite?**	ké **pyat**ti di pol**laa**mé sér**vii**té

anitra	**aa**nitra	canard
beccaccia	bék**kat**tcha	bécasse
beccaccino	békkat**tchii**no	bécasseau
camoscio	ka**mo**cho	chamois
cappone	kap**poo**né	chapon
capretto	ka**prét**to	cabri
capriolo	kapri**oo**lo	chevreuil
cervo	**tchér**vo	cerf
cinghiale	tchinn**ghyaa**lé	sanglier
coniglio	ko**nii**lyo	lapin
fagiano	fa**djaa**no	faisan
faraona	fara**oo**na	pintade
gallina	gal**lii**na	poule
gallo cedrone	**gal**lo tché**droo**né	coq de bruyère
lepre	**lé**pré	lièvre
oca	**oo**ka	oie
ortolano	orto**laa**no	ortolan
pernice	pér**nii**tché	perdrix

piccione	pit**tchoo**né	pigeon
pollo	**pol**lo	poulet
quaglia	**kouaa**lya	caille
selvaggina	selvad**djii**na	gibier
tacchino	tak**kii**no	dinde
tordo	**tor**do	grive

capretto ripieno al forno (ka**prét**to ri**pyéé**no al **for**no) — cabri farci d'un mélange d'herbes aromatiques, rôti au four

coniglio all'agro (ko**nii**lyo al**la**gro) — lapin braisé dans du vin rouge et du jus de citron

galletto amburghese (gal**lét**to ammbour**ghéé**zé) — coquelet rôti au four

lepre in salmì (**lé**pré inn sal**mi**) — civet de lièvre

palombacce allo spiedo (palomm**bat**tché **al**lo **spyéé**do) — palombes rôties à la broche

polenta e uccelli (po**lén**ta é out**tchél**li) — oiseaux rôtis à la broche, servis avec de la polenta (farine de maïs)

pollo alla cacciatora (**pol**lo **al**la kattcha**too**ra) — poulet chasseur; mijoté dans une sauce au vin blanc avec de l'oignon, de l'ail, des herbes et des lardons

pollo alla diavola (**pol**lo **al**la **dyaa**vola) — poulet grillé, très assaisonné

Légumes – Salades *Verdure – Insalate*

Quelles sortes de légumes avez-vous?	**Che genere di verdure avete?**	ké **djéé**néré di vér**doû**ré a**véé**té
Je voudrais une salade (mêlée).	**Vorrei un'insalata (mista).**	vor**réy** ouninnsa**laa**ta (**mis**ta)

asparagi	a**spaa**radji	asperges
barbabietola	barba**byéé**tola	betterave rouge
broccoli	**brok**koli	broccoli
carciofi	kar**tchoo**fi	artichauts
carote	ka**roo**té	carottes
cavolfiore	kavol**fyoo**ré	chou-fleur
cavolini di Bruxelles	kavo**lii**ni di «Bruxelles»	choux de Bruxelles
cavolo	**kaa**volo	chou

ceci	**tchéé**tchi	pois chiches
cetriolo	tchétri**oo**lo	concombre
cicoria	tchi**koo**rya	chicorée
cipolla	tchi**pol**la	oignon
fagioli	fa**djoo**li	haricots
fagiolini	fadjo**lii**ni	haricots verts
fave	**faa**vé	fèves
finocchio	fi**nok**kyo	fenouil
funghi	**foun**ghi	champignons
indivia	inn**dii**vya	endive
insalata (verde)	innsa**laa**ta (**vér**dé)	salade (verte)
lattuga	lat**toû**ga	laitue
lenticchie	lén**tik**kyé	lentilles
melanzana	mélann**dzaa**na	aubergine
patate	pa**taa**té	pommes de terre
peperoni	pépé**roo**ni	poivrons
piselli	pi**zél**li	petits pois
pomodoro	pomo**doo**ro	tomate
porcini	por**tchii**ni	bolets
porro	**por**ro	poireau
primizie	pri**mii**tsyé	primeurs
radicchio	ra**dik**kyo	chicorée (rouge)
ravanelli	rava**nél**li	radis
scorzonera	skortso**néé**ra	scorsonère (salsifis)
sedano	**séé**dano	céleri
spinaci	spi**naa**tchi	épinards
tartufi	tar**toû**fi	truffes
verdura mista	vér**doû**ra **mis**ta	jardinière de légumes
verza	**vér**dza	chou vert frisé
zucca	**tsouk**ka	courge
zucchini	tsouk**kii**ni	courgettes

caponata (kapo**naa**ta) — plat de légumes composé d'aubergines, de céleris, tomates et courgettes, assaisonné d'ail, de fines herbes et d'huile, généralement servi froid

carciofi alla romana (kar**tchoo**fi **al**la ro**maa**na) — artichauts farcis de persil, ail et feuilles de menthe, cuits dans de l'huile d'olive et du vin blanc

melanzane alla parmigiana (mélann**dzaa**né **al**la parmi**djaa**na) — aubergines gratinées, sous un coulis de tomates, assaisonné de parmesan et de fines herbes

peperonata (pépéro**naa**ta) — potée de légumes, composée de poivrons, de tomates et d'oignons, relevée d'ail et de fines herbes

Epices et fines herbes *Spezie ed erbe aromatiche*

aglio	**aa**lyo	ail
basilico	ba**zii**liko	basilic
cannella	kan**nél**la	cannelle
capperi	**kap**péri	câpres
cipollina	tchipol**lii**na	ciboulette
cumino	kou**mii**no	cumin
lauro	**laaou**ro	laurier
maggiorana	maddjo**raa**na	marjolaine
menta	**mén**ta	menthe
noce moscata	**noo**tché mo**skaa**ta	noix de muscade
origano	o**rii**gano	origan
prezzemolo	pre**ttséé**molo	persil
rosmarino	rozma**rii**no	romarin
salvia	**sal**vya	sauge
targone	tar**goo**né	estragon
timo	**tii**mo	thym
zafferano	tsafféraano	safran

Fromages *Formaggio*

Je voudrais du fromage.	**Vorrei del formaggio.**	vor**réy** dél for**mad**djo

Bel Paese (bél pa**éé**zé) — fromage doux à pâte molle

caciocavallo (katchoka**val**lo) — fromage de lait de vache ou de brebis doux, à pâte dure

gorgonzola (gorgonn**dzoo**la) — fromage veiné de bleu, plus doux et plus crémeux que le roquefort

mozzarella (mottsa**rél**la) — fromage doux non-fermenté; dans le sud de l'Italie, il est tiré du lait de buffle, ailleurs du lait de vache

parmigiano (parmi**djaa**no) — parmesan, pâte dure bien relevée, utilisé surtout râpé dans les mets chauds

pecorino (péko**rii**no) — fromage de brebis

provolone (provo**loo**né) — pâte mi-dure, bien relevé, généralement tiré du lait de vache

ricotta (ri**kot**ta) — fromage frais

stracchino (strak**kii**no) — fromage blanc crémeux

Fruits *Frutta*

Avez-vous des fruits frais?	**Avete della frutta fresca?**	av**éé**té **dél**la **frout**ta **frés**ka
Je voudrais une salade de fruits (frais).	**Vorrei una macedonia di frutta (fresca).**	vor**réy oû**na matché**doo**nya di **frout**ta (**frés**ka)
albicocca	albi**kok**ka	abricot
ananas	**aa**nanas	ananas
anguria	ann**goû**rya	pastèque
arachide	ar**aa**kidé	cacahuètes
arancia	a**rann**tcha	orange
banana	ba**naa**na	banane
cachi	**kaa**ki	kaki
castagne	ka**sta**gné	châtaignes
ciliege	tchi**lyéé**djé	cerises
cocomero	ko**koo**méro	pastèque
datteri	**dat**téri	dattes
fichi	**fii**ki	figues
fragole	**fraa**golé	fraises
lamponi	lamm**poo**ni	framboises
limone	li**moo**né	citron
mandarino	manndar**ii**no	mandarine
mandorle	**mann**dorlé	amandes
mela	**méé**la	pomme
melone	mé**loo**né	melon
mirtilli	mir**til**li	myrtilles
mirtilli rossi	mir**til**li **ros**si	airelles
more	**moo**ré	mûres
nocciole	not**tchoo**lé	noisettes
noce di cocco	**noo**tché di **kok**ko	noix de coco
noci	**noo**tchi	noix
pera	**péé**ra	poire
pesca	**pés**ka	pêche
pinoli	pi**noo**li	pignons
pompelmo	pomm**pél**mo	pamplemousse
prugne	**prou**gné	prunes, pruneaux
prugne secche	**prou**gné **sék**ké	pruneaux secs
rabarbaro	ra**bar**baro	rhubarbe
ribes	**rii**bés	groseilles rouges
ribes nero	**rii**bés **néé**ro	cassis
susine	sou**zii**né	prunes
uva	**oû**va	raisin
bianca/nera	**byann**ka/**néé**ra	blanc/rouge
uva spina	**oû**va **spii**na	groseilles à maquereau
uva passa	**oû**va **pas**sa	raisins secs

Desserts – Glaces *Dolci – Gelati*

Quels desserts proposez-vous?	**Che dolci avete?**	ke **dol**tchi a**véé**té
Quelque chose de léger, s.v.p.	**Qualcosa di leggero, per favore.**	koual**koo**za di léd**djéé**ro pér fa**voo**ré
Je voudrais une tranche de tourte.	**Vorrei una fetta di torta.**	vor**réy oû**na **fét**ta di **tor**ta
Je voudrais une glace.	**Vorrei un gelato.**	vor**réy** oun djé**laa**to
avec/sans crème (chantilly)	**con/senza panna (montata)**	konn/**sén**tsa **pan**na (monn**taa**ta)

budino	bou**dii**no	flan
crema	**kréé**ma	crème
crostata di mele	kro**staa**ta di **méé**lé	tarte aux pommes
dolce	**dol**tché	gâteau
gelato	djé**laa**to	glace
all'amarena	allama**réé**na	aux griottes confites
al caffè	al kaf**fé**	mocca
al cioccolato	al tchokko**laa**to	chocolat
alla fragola	**al**la **fraa**gola	fraise
al lampone	al lamm**poo**né	framboise
al limone	al li**moo**né	citron
al torrone	al tor**roo**né	nougat
alla vaniglia	**al**la va**nii**lya	vanille
misto	**mis**to	panachée
pasticcini	pastit**tchii**ni	petits fours
torta	**tor**ta	tourte, gâteau
di cioccolata	di tchokko**laa**ta	au chocolat
di frutta	di **frout**ta	aux fruits

cassata (gelata) (kas**saa**ta [djé**laa**ta]) — glace avec des fruits confits

cassata siciliana (kas**saa**ta sitchi**lyaa**na) — gâteau de Savoie, fourré de fromage blanc, garni de fruits confits

granita (gra**nii**ta) — glace pilée mélangée à du sirop, du jus de fruits ou du café

tiramisù (tiirami**soû**) — dessert à base de couches alternés de biscuit de Savoie (imbibé de café et d'alcool) et d'un mélange de jaunes d'œuf, mascarpone et crème fraîche

zabaione (dzaba**yoo**né) — sabayon: dessert chaud fait de jaune d'œuf battu, de sucre et de vin de Marsala

zuppa inglese (**dzoup**pa inn**ghléé**zé) — gâteau de Savoie imbibé de rhum, garni de fruits confits, de crème ou de chantilly

Boissons *Bevande*

Apéritifs *Aperitivi*

Je voudrais un apéritif.	**Vorrei un aperitivo.**	vor**réy** oun apéri**tii**vo
sec	**liscio**	**li**cho
à l'eau (minérale)	**con acqua (minerale)**	konn **ak**koua (miné**raa**lé)
avec de la glace	**con ghiaccio**	konn **ghyat**tcho

CIN-CIN!
(tchinn-tchinn)
SANTÉ!

Vins *Vino*

Les vins italiens ne vieillissent pas longtemps en cave, ils sont frais et fruités. Les meilleurs vins de table sont produits dans le Nord, les vins de dessert sont une spécialité du Sud.

Beaucoup d'étrangers considèrent le Chianti comme *le* vin italien par excellence, ce qui n'a rien d'étonnant lorsqu'on sait qu'il était déjà exporté à la fin du 17e siècle. C'est le vin de la Toscane, cultivé sur les coteaux près de Florence, Pistoie, Pise, Sienne et Arezzo. Le Chianti rouge léger – offert dans sa fiasque traditionnelle ou dans une bouteille classique – convient à presque tous les plats. La qualité et les prix peuvent varier, mais ils restent en général tous acceptables. Si vous souhaitez boire un très bon Chianti *(Chianti Classico)* sélectionné dans la meilleure région, assurez-vous que sur son sceau figure un coq *(gallo)* noir.

L'Italie compte encore d'autres grands vins rouges, tels le *Barolo,* le *Gattinara,* le *Valpolicella* ou encore le *Sangiovese* de l'Emilie-Romagne.

Parmi les bons vins blancs, citons le *Vermentino* de Sardaigne, le *Soave* de Vénétie et quelques *Riesling* provenant du Tyrol du Sud et du Trentin-Haut-Adige.

Dans la plupart des restaurants, on vous recommandera le vin ouvert *(vino aperto)* ou la «réserve du patron» *(vino della casa)*, servi en carafe de ¼, ½ ou 1 litre. Les grands restaurants ont, bien sûr, une importante carte des vins, mais même une petite *trattoria* a généralement un bon choix de vins en bouteilles. Les connaisseurs rechercheront l'appellation *Riserva.*

Quels vins avez-vous?	**Che vino avete?**	ké **vii**no a**véé**té
Je voudrais du vin...	**Vorrei del vino...**	vor**réy** dél **vii**no
rouge	**rosso**	**ros**so
rosé	**rosatello**	roza**tél**lo
blanc	**bianco**	byann**ko**
Avez-vous du vin de la région?	**Ha del vino della regione?**	a dél **vii**no **dél**la ré**djoo**né
Je voudrais goûter...	**Vorrei assaggiare...**	vor**réy** assa**djaa**ré
Puis-je avoir la carte des vins?	**Per favore, mi porti la lista dei vini.**	pér fa**voo**ré mi **por**ti la **lis**ta déy **vii**ni
Avez-vous du vin ouvert?	**Ha del vino aperto?**	a dél **vii**no a**pér**to
bouteille	**una bottiglia**	**oû**na bot**tii**lya
demi-bouteille	**mezza bottiglia**	**méd**dza bot**tii**lya
carafe	**una caraffa**	**oû**na ka**raf**fa
litre	**un litro**	oun **li**tro
½ litre	**mezzo litro**	**méd**dzo **li**tro
¼ de litre	**un quarto**	oun **kouar**to
verre	**un bicchiere**	oun bik**kyéé**ré
Je voudrais une bouteille de champagne.	**Vorrei una bottiglia di champagne.**	vor**réy** **oû**na bot**tii**lya di «champagne»
Apportez-moi une autre bouteille.	**Per favore, mi porti un'altra bottiglia.**	pér fa**voo**ré mi **por**ti ou**nal**tra bot**tii**lya

corsé	**generoso**	djéné**roo**zo
doux	**dolce**	**dol**tché
léger	**leggero**	léd**djéé**ro
légèrement doux	**amabile**	a**maa**bilé
mousseux	**spumante**	spou**mann**té
pétillant	**frizzante**	frid**dzann**té
sec	**secco**	**sék**ko

De quelle région vient ce vin?	**Da dove viene questo vino?**	da **doo**vé **vyéé**né **koués**to **vii**no
Il est excellent.	**È molto buono.**	é **mol**to bou**oo**no

Type de vin	**Exemples**	**Accompagne**
vin blanc sec	*Castelli Romani, Frascati* (Latium), *Falerno, Lacrima Christi* (Campagnie), *Soave* (Vénétie), *Verdicchio dei Castelli di lesi* (Marches) et un grand nombre de vins locaux	les poissons et fruits de mer, les viandes froides, les volailles. On le boit aussi parfois avec des mets plus riches.
vin rosé	*Lagrein Rosato* (Tyrol du Sud), *Chiaretto*	presque tous les plats, mais plus spécialement les repas froids, les œufs, le porc et l'agneau.
vin rouge léger	*Chianti* (Toscane), *Lambrusco,* légèrement pétillant (Emilie-Romagne), *Bardolino, Valpolicella* (Vénétie) et la plupart des vins locaux comme le *Merlot* (Frioul et Tessin)	le poulet rôti, la dinde, le veau, l'agneau, les viandes saignantes, les ragoûts, le jambon, le foie; les pâtes et le riz; les fromages à pâtes molles.
vin rouge corsé	*Barolo, Barbera, Barbaresco, Gattinara* (Piémont), *Chianti classico* (Toscane)	les rôtis et le gibier, le canard, l'oie, les plats bien relevés et les fromages corsés.
vin blanc doux	*Aleatico, Vino Santo* (Toscane), *Marsala* (Sicile), *Orvieto* (Ombrie – celui qu'on exporte est sec)	les desserts, particulièrement les crèmes et les gâteaux. On les boit aussi en apéritif.
vin mousseux	*Moscato d'Asti, Asti Spumante*	les desserts; sec: les fruits de mer.

Autres boissons alcoolisées *Altre bevande alcoliche*

Bière *Birra*

La bière italienne est bonne mais un peu plus légère que celle de nos régions.

Une bière, s.v.p.	**Vorrei una birra.**	vor**réy oûna** **bir**ra
blonde/brune	**chiara/scura**	**kyaa**ra/**skoû**ra
pression	**alla spina**	**al**la **spii**na
Avez-vous de la bière...?	**Ha della birra...?**	a **dél**la **bir**ra
belge	**belga**	**bél**ga
française	**francese**	frann**tchéé**zé
étrangère	**straniera**	stra**nyéé**ra

Spiritueux *Alcolici*

Donnez-moi un/une..., s.v.p.	**Mi dia..., per favore.**	mi **dii**a... pér fa**voo**ré
anisette	**un'anisetta**	ounani**zét**ta
cognac	**un cognac**	oun «cognac»
gin (tonic)	**un gin (e tonico)**	oun «gin» (é **too**niko)
liqueur	**un liquore**	oun li**kouoo**ré
porto	**un porto**	oun **por**to
rhum	**un rum**	oun roum
vermouth	**un vermouth**	oun «vermouth»
vodka	**una vodka**	**oû**na «vodka»
whisky (soda)	**un whisky (soda)**	oun «whisky» (**soo**da)
Un whisky double, s.v.p.	**Un whisky doppio, per favore.**	oun «whisky» **dop**pyo pér fa**voo**ré
sec	**liscio**	**li**cho
avec de la glace	**con ghiaccio**	konn **ghyat**tcho
avec un peu d'eau	**con un po' d'acqua**	konn oun po **dak**koua

Après le repas, on vous suggérera sans doute un digestif (*un digestivo* – oun didjé**stii**vo).

amaro	a**maa**ro	liqueur amère
amaretto	ama**rét**to	liqueur à base d'amandes amères
grappa	**grap**pa	eau-de-vie de raisin

Boissons sans alcool *Bevande analcoliche*

Je voudrais...	**Vorrei...**	vor**réy**
citron pressé	**una spremuta di limone**	**oû**na sprémoûta di li**moo**né
eau minérale	**dell'acqua minerale**	del**lak**koua miné**raa**lé
gazeuse	**gasata**	ga**zaa**ta
non gazeuse	**naturale**	natou**raa**lé
frappé	**un frullato di latte**	oun froul**laa**to di **lat**té
jus de fruits	**un succo di frutta**	oun **souk**ko di **frout**ta
jus d'/de...	**un succo...**	oun **souk**ko
orange	**d'arancia**	da**rann**tcha
pamplemousse	**di pompelmo**	di pomm**pél**mo
pomme	**di mele**	di **méé**lé
raisin	**d'uva**	**doû**va
tomate	**di pomodoro**	di pomo**doo**ro
(verre de) lait	**un bicchiere di latte**	oun bik**kyéé**ré di **lat**té
limonade	**una limonata**	**oû**na limo**naa**ta
orangeade	**un'aranciata**	ounarann**tchaa**ta
orange pressée	**una spremuta di arance**	**oû**na spré**moû**ta di a**rann**tché
sirop (de framboise)	**uno sciroppo (di lamponi)**	**oû**no chi**rop**po (di lamm**poo**ni)
thé froid	**un tè freddo**	oun té **fréd**do
Puis-je avoir une paille, s.v.p.?	**Posso avere una cannuccia, per favore?**	**pos**so a**vé**é**ré** **oû**na kan**nout**tcha pér fa**voo**ré

Café – Boissons chaudes *Caffè – Bevande calde*

Un repas en Italie se termine rarement sans un café. Si vous commandez un café sans plus de précision, on vous apportera un *espresso* noir et fort. Si vous le voulez encore plus noir et bien serré, commandez un *ristretto;* si au contraire vous le souhaitez un peu moins fort, alors c'est un *caffè lungo* qu'il vous faut, ou un *caffè macchiato* (avec un peu de lait). Le *cappuccino* est servi dans une plus grande tasse avec du lait battu en mousse et une pincée de poudre de chocolat. En été, le *caffè freddo* (café glacé) est très apprécié. Notez que, si vous buvez votre café debout au bar, il sera moins cher que consommé assis à une table.

Je voudrais...	**Vorrei...**	vor**réy**
café	**un caffè**	oun kaf**fé**
au lait	**un caffellatte**	oun kafféll**at**té
décaféiné	**decaffeinato**	dékafféi**naa**to
chocolat	**una cioccolata**	**oû**na tchokko**laa**ta
lait (chaud)	**un latte (caldo)**	oun **lat**té (**kal**do)
thé	**un tè**	oun té
tisane	**una tisana**	**oû**na ti**zaa**na
Apportez-moi, s.v.p....	**Per favore, mi porti...**	pér fa**voo**ré mi **por**ti
citron	**del limone**	dél li**moo**né
crème	**della panna**	**dél**la **pan**na
lait	**del latte**	dél **lat**té
sucre	**dello zucchero**	**dél**lo **tsouk**kéro

Réclamations *Reclami*

Il manque un verre/ une assiette.	**Manca un bicchiere/ un piatto.**	**mann**ka oun bik**kyéé**ré/ oun **pyat**to
Je n'ai pas de couteau/fourchette/ cuillère.	**Non ho il coltello/ la forchetta/ il cucchiaio.**	nonn o il kol**tél**lo/ la for**két**ta/ il kouk**kyaa**yo
Ce n'est pas ce que j'ai commandé.	**Non è ciò che ho ordinato.**	noon é tcho ké o ordi**naa**to
Il doit y avoir une erreur.	**Ci deve essere un errore.**	tchi **déé**vé **és**séré oun ér**roo**ré
J'ai demandé...	**Ho chiesto...**	o **kyés**to
Pouvez-vous m'apporter autre chose?	**Può portarmi qualcos'altro?**	pouo por**tar**mi koualko**zal**tro
La viande est...	**La carne è...**	la **kar**né é
trop cuite	**troppo cotta**	**trop**po **kot**ta
pas assez cuite	**poco cotta**	**poo**ko **kot**ta
trop dure	**troppo dura**	**trop**po **doû**ra
C'est trop...	**Questo è troppo...**	**koués**to é **trop**po
aigre/amer	**agro/amaro**	**a**gro/a**maa**ro
salé/sucré	**salato/dolce**	sa**laa**to/**dol**tché
Je n'aime pas cela.	**Non mi piace.**	nonn mi **pyaa**tché
Le repas est froid.	**Il cibo è freddo.**	il **tchii**bo é **fréd**do
Ce n'est pas frais.	**Questo non è fresco.**	**koués**to nonn é **frés**ko

Pourquoi l'attente est-elle si longue?	**Perchè impiegano tanto tempo?**	pér**ké** imm**pyéé**gano **tann**to **tém**po
Avez-vous oublié nos boissons?	**Ha dimenticato le nostre bevande?**	a diménti**kaa**to lé **nos**tré bé**vann**dé
Ce n'est pas propre.	**Questo non è pulito.**	**koués**to nonn é pou**lii**to
Appelez le maître d'hôtel, s.v.p.	**Vuole chiamare il capo cameriere?**	vou**oo**lé kya**maa**ré il **kaa**po kamé**ryéé**ré

L'addition *Il conto*

Le couvert *(il coperto)* et le service *(il servizio)* sont généralement compris dans l'addition, mais il est d'usage de laisser un pourboire *(la mancia).*

L'addition, s.v.p.	**Il conto, per favore.**	il **konn**to pér fa**voo**ré
Je voudrais payer.	**Vorrei pagare.**	vor**réy** pa**gaa**ré
Nous voudrions payer séparément.	**Vorremmo pagare separatamente.**	vor**rém**mo pa**gaa**ré séparata**mén**té
A quoi correspond ce montant?	**Per cos'è questo importo?**	pér ko**zé** **koués**to imm**por**to
Je crois qu'il y a une erreur dans l'addition.	**Penso che abbiate fatto un errore nel conto.**	**pén**so ké ab**byaa**té **fat**to oun ér**roo**ré nél **konn**to
Le service/Le couvert est-il compris?	**È compreso il servizio/il coperto?**	é komm**préé**zo il sér**vii**tsyo/il ko**pér**to
Acceptez-vous les chèques de voyage?	**Accetta i traveller's cheques?**	at**chét**ta i «traveller's cheques»
Puis-je payer avec cette carte de crédit?	**Posso pagare con questa carta di credito?**	**pos**so pa**gaa**ré konn **koués**ta **kar**ta di **kréé**dito
Merci, voici pour vous.	**Grazie, questo è per lei.**	**graa**tsyé **koués**to é pér léy
Le repas était très bon.	**È stato un pasto molto buono.**	é **staa**to oun **pas**to **mol**to bou**oo**no

SERVIZIO COMPRESO
SERVICE COMPRIS

POURBOIRES, voir page 3 de couverture

Repas légers – Pique-nique *Spuntini – Picnic*

Les bars et les snack-bars sont ouverts dès le matin tôt et jusqu'à tard le soir. La plupart servent des sandwichs, souvent préparés à la demande avec garniture à votre choix, et différentes pâtisseries. En plus des *pizzerie*, vendant les pizze au détail, il y a des *paninoteche* (bars à sandwichs) offrant une grande variété de sandwichs à consommer sur place ou à emporter. Et bien sûr rien ne vous empêche de composer votre propre pique-nique: vous trouverez facilement du pain frais et tout ce qu'il faut pour le garnir dans une *pizzicheria* ou une *salumeria* (charcuterie-traiteur).

Donnez m'en un de ceux-ci, s.v.p.	**Per favore, mi dia uno di questi.**	pér fa**voo**ré mi **dii**a **oû**no di **koués**ti
Deux de ceux-là, s.v.p.	**Due di quelli, per favore.**	**doû**é di **kouél**li pér fa**voo**ré
C'est pour emporter.	**È da portare via.**	é da por**taa**ré **vii**a
Je voudrais...	**Vorrei...**	vor**réy**
(tranche de) pizza	**una (fetta di) pizza**	**oû**na (**fét**ta di) **pit**tsa
pommes frites	**delle patatine fritte**	**dél**lé pata**tii**né **frit**té
poulet rôti	**un pollo arrosto**	oun **pol**lo ar**ros**to
sandwich	**un panino imbottito**	oun pa**nii**no immbot**tii**to
au fromage	**al formaggio**	al for**mad**djo
au jambon (cuit/cru)	**al prosciutto (cotto/crudo)**	al pro**chout**to (**kot**to/**kroû**do)
au salami	**al salame**	al sa**laa**mé
Pouvez-vous me préparer un sandwich?	**Mi può preparare un panino imbottito?**	mi pouo prépa**raa**ré oun pa**nii**no immbot**tii**to

Voici une liste de denrées alimentaires et de boissons dont vous pourriez avoir besoin pour un pique-nique:

Je voudrais...	**Vorrei...**	vor**réy**
bananes	**delle banane**	**dél**lé ba**naa**né
beurre	**del burro**	dél **bour**ro
bière	**della birra**	**dél**la **bir**ra
biscuits	**dei biscotti**	déy bis**kot**ti
café	**del caffè**	dél kaf**fé**
café en poudre	**del caffé solubile**	dél kaf**fé** so**loû**bilé

carottes	**delle carote**	**dé**llé ka**roo**té
charcuterie	**degli affettati**	**déé**lyi affét**taa**ti
chips	**delle patatine fritte**	**dé**llé pata**tii**né **frit**té
citron	**un limone**	oun li**moo**né
cornichons	**dei cetriolini**	déy tchétrio**lii**ni
crème	**della panna**	**dé**lla **pan**na
eau minérale	**dell'acqua minerale**	dél**lak**koua miné**raa**lé
édulcorant	**un dolcificante**	oun doltchifi**kann**té
fromage	**del formaggio**	dél for**mad**djo
(tranche de) gâteau	**una (fetta di) torta**	**oû**na (**fét**ta di) **tor**ta
glace	**un gelato**	oun djé**laa**to
huile (d'olive)	**dell'olio (d'oliva)**	dél**loo**lyo (do**lii**va)
jambon	**del prosciutto**	dél pro**chout**to
jus de fruits	**del succo di frutta**	dél **souk**ko di **frout**ta
lait	**del latte**	dél **lat**té
limonade	**della limonata**	**dé**lla limo**naa**ta
margarine	**della margarina**	**dé**lla marga**rii**na
mayonnaise	**della maionese**	**dé**lla mayo**néé**zé
melon	**un melone**	oun mé**loo**né
moutarde	**della senape**	**dé**lla **séé**napé
œufs	**delle uova**	**dé**llé ou**oo**va
olives vertes/noires	**delle olive verdi/nere**	**dé**llé o**lii**vé **vér**di/**néé**ré
oranges	**delle arance**	**dé**llé a**rann**tché
pain	**del pane**	dél **paa**né
petit pain	**dei panini**	déy pa**nii**ni
pastèque	**un'anguria**	ounanng**oû**rya
pêches	**delle pesche**	**dé**llé **péé**ské
poivre	**del pepe**	dél **péé**pé
pommes	**delle mele**	**dé**llé **méé**lé
prunes	**delle prugne**	**dé**llé **proû**gné
raisin	**dell'uva**	dél**loû**va
salade (verte)	**dell'insalata (verde)**	déllinnsa**laa**ta (**ver**dé)
sardines	**delle sardine**	**dé**llé sar**dii**né
saucisses	**delle salsicce**	**dé**llé sal**sit**tché
sel	**del sale**	dél **saa**lé
sucre (en morceaux)	**dello zucchero (in zollette)**	**dé**llo **tsouk**kéro (inn dzol**lét**té)
thé (en sachets)	**del tè (in bustine)**	dél té (inn bou**stii**né)
tomates	**dei pomodori**	déy pomo**doo**ri
vin	**del vino**	dél **vii**no
vinaigre	**dell'aceto**	dél**latchéé**to
yogourt	**uno yogurt**	**oû**no **yoo**gourt

MAGASIN D'ALIMENTATION, voir page 119

Excursions

Les expressions usuelles et tournures de phrases présentées dans la rubrique «train» sont généralement applicables aux autres moyens de transports en commun.

Train *Treno*

Vous trouverez ci-dessous un aperçu des différents trains et wagons mis à la disposition des voyageurs:

EuroCity (**éou**rositi) — train rapide international, avec wagons de 1re et 2e classe, souvent avec supplément

Intercity (**inn**térsiti) — train rapide international reliant les grandes villes, avec wagons de 1re et 2e classe

Rapido (**raa**pido) — train rapide, desservant des gares importantes, 1re et 2e classe

Direttissimo/ Espresso (diréttissimo/éspr**é**sso) — train longue distance, ne desservant que les grands centres; wagons de 1re et 2e classe

Diretto (di**rét**to) — moins rapide que le *direttissimo*, s'arrête également dans les villes moins importantes; 1re et 2e classe

Accelerato/Locale (attchélé**raa**to/lo**kaa**lé) — train régional desservant presque toutes les gares sur un petit réseau

Littorina (litto**rii**na) — petit train à traction diesel pour des parcours restreints

FUMATORI FUMEURS	**NON FUMATORI** NON-FUMEURS

Carrozza ristorante (kar**rot**tsa risto**rann**té) — wagon-restaurant

Vagone letto (va**goo**né **lét**to) — wagon-lit avec des compartiments de 1, 2 ou 3 lits et lavabos

Carrozza cuccette (kar**rot**tsa kout**tchét**té) — wagon couchettes (six par compartiment) avec draps, couvertures et oreillers

Bagagliaio (baga**lyaa**yo) — fourgon à bagages; seuls les bagages enregistrés sont acceptés

BUS - TRAM, voir page 72

Pour se rendre à la gare *Per andare alla stazione*

Où est la gare?	**Dov'è la stazione?**	do**vé** la sta**tsyoo**né
Y a-t-il un...?	**C'è...?**	tché
bus	**l'autobus**	**la**outobouss
métro	**la metropolitana**	la métropoli**taa**na
tram	**il tram**	il tram
Est-ce loin?	**È lontano?**	é lonn**taa**no
Quel bus va à la gare?	**Che autobus va alla stazione?**	ké aoutobouss va **al**la sta**tsyoo**né
Dans quelle direction?	**In che direzione?**	inn ké diré**tsyoo**né
Taxi!	**Taxi, per favore!**	**ta**xi pér fa**voo**ré
Conduisez-moi à la gare (principale).	**Mi porti alla stazione (centrale).**	mi **por**ti **al**la sta**tsyoo**né (tchén**traa**lé)

ENTRATA	ENTRÉE
USCITA	SORTIE
AI BINARI	ACCÈS AUX QUAIS

Renseignements *Informazioni*

Où est/sont...?	**Dov'è/Dove sono...?**	do**vé**/**doo**vé **soo**no
bureau...	**l'ufficio...**	louf**fii**tcho
de change	**cambio**	**kamm**byo
des renseignements	**informazioni**	innforma**tsyoo**ni
de location	**prenotazioni**	prénota**tsyoo**ni
des objets trouvés	**oggetti smarriti**	od**djét**ti smar**rii**ti
de réservation d'hôtel	**prenotazioni alberghi**	prénota**tsyoo**ni al**bér**ghi
consigne	**il deposito bagagli**	il dé**poo**zito ba**gaa**lyi
consigne automatique	**la custodia automatica dei bagagli**	la kou**stoo**dya aouto**maa**tika déy ba**gaa**lyi
guichet des billets	**la biglietteria**	la bilyétté**rii**a
kiosque à journaux	**l'edicola**	lé**dii**kola
quai 3	**il binario 3**	il bi**naa**ryo 3
restaurant	**il ristorante**	il risto**rann**té
salle d'attente	**la sala d'aspetto**	la **saa**la da**spét**to
toilettes	**i gabinetti**	i gabi**nét**ti
voie 5	**il binario 5**	il bi**naa**ryo 5

TAXI, voir page 21

Français	Italiano	Prononciation
Quand part le… train pour Rome?	**Quando parte… treno per Roma?**	kouanndo parté… tréé no pér rooma
premier/dernier prochain	**il primo/l'ultimo il prossimo**	il priimo/loultimo il prossimo
Est-ce un train direct?	**È un treno diretto?**	é oun tréé no dirétto
Combien coûte le billet pour Bari?	**Quanto costa il biglietto per Bari?**	kouannto kosta il bilyétto pér baari
Dois-je payer un supplément?	**Devo pagare un supplemento?**	déévo pagaaré oun soupplémén to
Y a-t-il une correspondance pour Trieste?	**C'è una coincidenza per Trieste?**	tché oûna koïnntchidéntsa pér triésté
Dois-je changer de train?	**Devo cambiare treno?**	déévo kammbyaaré tréé no
Y a-t-il assez de temps pour changer?	**C'è il tempo per cambiare?**	tché il témpo pér kammbyaaré
Combien de temps s'arrête-t-on ici?	**Quanto tempo si fermerà il treno?**	kouannto témpo si férméra il tréé no
Le train partira-t-il à l'heure?	**Partirà in orario il treno?**	partira inn oraaryo il tréé no
A quelle heure le train arrive-t-il à Florence?	**A che ora arriverà a Firenze il treno?**	a ké oora arrivéra a firéntsé il tréé no
Y a-t-il un arrêt à Stresa?	**C'è una fermata a Stresa?**	tché oûna férmaata a strééza
Y a-t-il un wagon restaurant?	**C'è una carrozza ristorante?**	tché oûna karrottsa ristorannté
De quel quai part le train pour Turin?	**Da che binario parte il treno per Torino?**	da ké binaaryo parté il tréé no pér toriino
Sur quel quai arrive le train de Naples?	**A che binario arriva il treno proveniente da Napoli?**	a ké binaaryo arriiva il tréé no provényénté da naapoli
Puis-je interrompre mon voyage à Pise?	**Posso interrompere il mio viaggio a Pisa?**	posso inntérrommpéré il miio vyaddjo a piiza
Je voudrais un horaire, s.v.p.	**Vorrei un orario ferroviario.**	vorréy oun oraaryo férrovyaaryo

ARRIVO ARRIVÉE

PARTENZA DÉPART

È un treno diretto.	C'est un train direct.
Deve cambiare a...	Vous devez changer à...
Cambi a... e prenda un treno locale.	Changez à... et prenez un omnibus.
Il binario 3 è laggiù.	Le quai 3 est là-bas.
C'è un treno per... alle 2.	Il y a un train pour... à 2 heures.
Il suo treno partirà dal binario...	Votre train partira sur la voie...
Ci sarà un ritardo di... minuti.	Il y aura un retard de... minutes.
Il treno proveniente da... è in arrivo al binario...	Le train en provenance de... arrive au quai...
Prima classe in testa/ nel mezzo/in coda.	Voitures de 1re classe en tête/milieu/queue du train.
C'è uno sciopero di 12 ore.	Il y a une grève de 12 heures.

Billets *Biglietti*

Un billet pour Milan, s.v.p.	**Un biglietto per Milano, per favore.**	oun bi**lyét**to pér mi**laa**no pér fa**voo**ré
aller simple	**andata**	ann**daa**ta
aller retour	**andata e ritorno**	ann**daa**ta é ri**tor**no
première/deuxième classe	**prima/seconda classe**	**prii**ma/sé**konn**da **klas**sé
demi-tarif	**metà tariffa**	mé**ta** ta**rif**fa

Réservation *Prenotazione*

Je voudrais réserver...	**Vorrei prenotare...**	vor**réy** préno**taa**ré
une place (côté fenêtre)	**un posto (vicino al finestrino)**	oun **pos**to (vi**tchii**no al finé**strii**no)
une couchette	**una cuccetta**	**oû**na kout**tchét**ta
supérieure	**superiore**	soupé**ryoo**ré
au milieu	**nel mezzo**	nél **méd**dzo
inférieure	**inferiore**	innfé**ryoo**ré
une place en wagon-lit	**un posto nel vagone letto**	oun **pos**to nél va**goo**né **lét**to

CHIFFRES, voir page 148

Sur le quai *Al binario*

Est-ce bien le train pour Gênes?	**È questo il treno per Genova?**	é **koués**to il **tréé**no pér **djéé**nova
C'est bien de ce quai que part le train pour Bologne?	**È il binario giusto per il treno che va a Bologna?**	é il bi**naa**ryo **djous**to pér il **tréé**no ké va a bo**lo**gna
Le train de Catane a-t-il du retard?	**È in ritardo il treno di Catania?**	é inn ri**tar**do il **tréé**no di ka**taa**nya
Le train de Palerme est-il déjà arrivé?	**È già arrivato il treno di Palermo?**	é dja arri**vaa**to il **tréé**no di pa**lér**mo

PRIMA CLASSE
PREMIÈRE CLASSE

SECONDA CLASSE
DEUXIÈME CLASSE

En voiture *Nel treno*

Pardon, puis-je passer?	**Mi scusi, posso passare?**	mi **skoûzi pos**so pas**saa**ré
Cette place est-elle libre?	**È libero questo posto?**	é **lii**béro **kouésto pos**to
Cette place est occupée.	**Questo posto è occupato.**	**kouésto pos**to é okkou**paa**to
C'est ma place, je crois.	**Penso che questo sia il mio posto.**	**pén**so ké **kouésto sii**a il **mii**o **pos**to
Pourriez-vous me prévenir quand nous arrivons à Padoue?	**Potrebbe avvisarmi quando staremo per arrivare a Padova?**	po**trébb**bé avvi**zaar**mi **kouann**do sta**réé**mo pér arri**vaa**ré a **paa**dova
Où sommes nous?	**Che stazione è?**	ké sta**tsyoo**né é
Combien de temps le train s'arrête-t-il ici?	**Quanto tempo si ferma qui il treno?**	**kouann**to **tém**po si **fér**ma koui il **tréé**no
Quand arriverons-nous à Venise?	**Quando arriveremo a Venezia?**	**kouann**do arrivé**réé**mo a vé**néé**tsya
Où est le wagon-restaurant?	**Dov'è la carrozza ristorante?**	do**vé** la kar**rot**tsa risto**rann**té
Puis-je ouvrir/fermer la fenêtre?	**Posso aprire/chiudere il finestrino?**	**pos**so a**prii**ré/**kyoû**déré il finé**strii**no
Puis-je monter/baisser le chauffage?	**Posso alzare/abbassare il riscaldamento?**	**pos**so al**tsaa**ré/abbas**saa**ré il riskalda**mén**to

HEURES, voir page 154

Wagon-lit/couchettes *Vagone letto/cuccette*

Y a-t-il des compartiments libres dans le wagon-lit?	**Ci sono degli scompartimenti liberi nel vagone letto?**	tchi **soo**no **dée**lyi skommparti**mén**ti **lii**béri nél va**goo**né **lét**to
Où est le wagon couchettes?	**Dov'è il vagone cuccette?**	do**vé** il va**goo**né kout**tchét**té
Quelle est ma couchette?	**Qual è la mia cuccetta?**	koua**lé** la **mii**a kout**tchét**ta
Je voudrais la couchette du bas/haut.	**Vorrei la cuccetta inferiore/superiore.**	vor**rèy** la kout**tchét**ta innfé**ryoo**ré/soupé**ryoo**ré
Pouvez-vous préparer nos couchettes?	**Può preparare le nostre cuccette?**	pouo prépa**raa**ré lé **nos**tré kout**tchét**té
Pouvez-vous me réveiller à 7 heures?	**Può svegliarmi alle 7?**	pouo své**lyar**mi **al**lé 7

Bagages – Porteurs *Bagagli – Facchini*

Où est la consigne?	**Dov'è il deposito bagagli?**	do**vé** il dé**poo**zito ba**gaa**lyi
Où sont les casiers de consigne automatique?	**Dove sono le custodie automatiche dei bagagli?**	**doo**vé **soo**no lé kous**too**dyé aouto**maa**tiké déy ba**gaa**lyi
Je voudrais déposer/retirer mes bagages.	**Vorrei depositare/ritirare i miei bagagli.**	vor**réy** dépozi**taa**ré/ riti**raa**ré i **myéé**i ba**gaa**lyi
Je voudrais faire enregistrer ma valise.	**Vorrei far registrare la mia valigia.**	vor**réy** far rédji**straa**ré la **mii**a va**lii**dja
Porteur!	**Facchino!**	fak**kii**no
Pouvez-vous prendre mes bagages, s.v.p.?	**Può prendere il mio bagaglio?**	pouo **prén**déré il **mii**o ba**gaa**lyo
Où sont les chariots à bagages?	**Dove sono i carrelli portabagagli?**	**doo**vé **soo**no i kar**rél**li portaba**gaa**lyi

REGISTRAZIONE BAGAGLI
ENREGISTREMENT DES BAGAGES

PORTEURS, voir aussi page 18

Avion *Aereo*

Je voudrais réserver un vol pour Milan.	**Vorrei prenotare un volo per Milano.**	vor**réy** préno**taa**ré oun **voo**lo pér mi**laa**no
aller simple	**andata**	ann**daa**ta
aller retour	**andata e ritorno**	ann**daa**ta é ri**tor**no
classe touriste	**classe turistica**	**klas**sé tou**ris**tika
première classe	**prima classe**	**prii**ma **klas**sé
Quel est le prix?	**Quant'è?**	kouann**té**
Y a-t-il des tarifs spéciaux?	**Ci sono tariffe speciali?**	tchi **soo**no ta**rif**fé spé**tchaa**li
Y a-t-il un vol pour Palerme?	**C'è un volo per Palermo?**	tché oun **voo**lo pér pa**lér**mo
Quand part le prochain vol pour Rome?	**A che ora parte il prossimo volo per Roma?**	a ké **oo**ra **par**té il **pros**simo **voo**lo pér **roo**ma
Y a-t-il une correspondance pour Naples?	**C'è una coincidenza per Napoli?**	tché **oû**na koïnntchi**dén**tsa pér **naa**poli
A quelle heure l'avion décolle-t-il?	**A che ora parte l'aereo?**	a ké **oo**ra **par**té la**éé**réo
A quelle heure dois-je me présenter pour l'enregistrement?	**A che ora devo presentarmi per la registrazione?**	a ké **oo**ra **déé**vo prézén**tar**mi pér la redjistra**tsyoo**né
Quel est le numéro du vol?	**Qual è il numero del volo?**	koua**lé** il **noû**méro dél **voo**lo
A quelle heure arrivons-nous?	**A che ora arriveremo?**	a ké **oo**ra arrivé**réé**mo
Y a-t-il un bus pour l'aéroport?	**C'è un autobus per l'aeroporto?**	tché oun **a**outobouss pér laéro**por**to
Je voudrais ... ma réservation.	**Vorrei ... la mia prenotazione.**	vor**réy**... la **mii**a prénota**tsyoo**né
annuler	**annullare**	annoul**laa**ré
changer	**cambiare**	kamm**byaa**ré
confirmer	**confermare**	konnfér**maa**ré
Combien de temps le billet est-il valable?	**Fino a quando è valido il biglietto?**	**fii**no a **kouann**do é **vaa**lido il bi**lyét**to

ARRIVO ARRIVÉE

PARTENZA DÉPART

Car *Pullman/Corriera*

Des cars relient régulièrement les villes entre elles et desservent aussi les régions éloignées. Les terminus sont généralement situés à proximité des gares, où vous pourrez obtenir tous les renseignements utiles.

Y a-t-il un car pour Ravenne?	**C'è una corriera per Ravenna?**	tché **oû**na kor**ryéé**ra pér ra**vén**na
Où se trouve la gare routière?	**Dove si trova la stazione dei pullman?**	**doo**vé si **troo**va la sta**tsyoo**né déy **poul**mann
A quelle heure part le prochain car pour Lucques?	**A che ora parte il prossimo pullman per Lucca?**	a ké **oo**ra **par**té il **pros**simo **poul**mann pér **louk**ka
Ce car s'arrête-t-il à...?	**Questa corriera si ferma a...?**	**koués**ta kor**ryéé**ra si **fér**ma a
Combien de temps dure le trajet?	**Quanto tempo dura il percorso?**	**kouann**to **tém**po **doû**ra il pér**kor**so

Autobus – Tram *Autobus – Tram*

Dans les villes, les bus circulent à intervalles rapprochés de jour, moins souvent le soir. Les trajets sont clairement indiqués sur des panneaux à chaque arrêt; les bus portent un numéro ainsi que l'indication de leur point de départ et d'arrivée. On peut se procurer les billets aux automates ou auprès du conducteur.

Je voudrais un carnet de tickets/une carte journalière.	**Vorrei un blocchetto di biglietti/un biglietto giornaliero.**	vor**réy** oun blok**két**to di bi**lyét**ti/oun bi**lyét**to djorna**lyéé**ro
Quel tram va à...?	**Quale tram va a...?**	**kouaa**lé tram va a
Où peut-on prendre le bus pour le Vatican?	**Dove si prende l'autobus per il Vaticano?**	**doo**vé si **prén**dé **la**outo-bouss pér il vati**kaa**no
Où est l'arrêt du bus?	**Dov'è la fermata dell'autobus?**	do**vé** la fér**maa**ta dél-**la**outobouss
A quelle heure y a-t-il un bus pour la gare?	**A che ora parte l'autobus per la stazione?**	a ké **oo**ra **par**té **la**outo-bouss pér la sta**tsyoo**né

Combien coûte le billet pour le Lido?	**Quanto costa il biglietto per il Lido?**	**kouann**to **kos**ta il bi**lyét**to pér il **lii**do
Est-ce le terminus?	**È il capolinea?**	é il kapo**lii**néa
Dois-je changer de bus?	**Devo cambiare autobus?**	**dé**évo kamm**byaa**ré **a**outobouss
Pourriez-vous me dire quand je dois descendre?	**Può dirmi quando devo scendere?**	pouo **dir**mi **kouann**do **dé**évo **chén**déré
Combien y a-t-il d'arrêts?	**Quante fermate ci sono?**	**kouann**té fér**maa**té tchi **soo**no
Je voudrais descendre au prochain arrêt/ au centre de la ville.	**Desidero scendere alla prossima fermata/in centro città.**	dé**zii**déro **chén**déré **al**la **pros**sima fér**maa**ta/ inn **tchén**tro tchit**ta**

FERMATA D'AUTOBUS	ARRÊT DU BUS
FERMATA A RICHIESTA	ARRÊT SUR DEMANDE

Métro *Metropolitana*

Il y a un métro *(il metrò* ou *la metropolitana)* à Rome, Milan et Naples.

Où est la station de métro?	**Dov'è la stazione della metropolitana?**	do**vé** la sta**tsyoo**né **dél**la métropoli**taa**na
Où dois-je changer pour aller à ...?	**Dove devo cambiare per andare a ...?**	**doo**vé **dé**évo kamm**byaa**ré pér ann**daa**ré a
Le prochain arrêt est bien ...?	**La prossima stazione è ...?**	la **pros**sima sta**tsyoo**né é
Quelle rame dois-je prendre pour...?	**Che linea devo prendere per...?**	ké **lii**néa **dé**évo **prén**déré pér

Bateau *Battello*

A quelle heure y a-t-il un bateau/un ferry pour...?	**A che ora parte il battello/il traghetto per...?**	a ké **oo**ra **par**té il bat**tél**lo/il tra**ghét**to pér
Où se trouve l'embarcadère?	**Dov'è l'imbarcadero?**	do**vé** limmbarka**dé**éro

Combien de temps dure la traversée?	**Quanto tempo dura la traversata?**	**kouannto témpo doûra** la travérsaata
Quand ferons-nous escale à ...?	**Quando sbarcheremo a ...?**	**kouanndo sbarké-réémo a**
Je voudrais faire le tour du port.	**Vorrei fare il giro del porto.**	vorréy faaré il djiiro dél porto
bateau	**il battelo/la nave**	il battéllo/la naavé
bateau à moteur	**il motoscafo**	il motoskaafo
cabine	**la cabina**	la kabiina
pour 1 personne	**singola**	sinngola
pour 2 personnes	**doppia**	doppya
canot de sauvetage	**il canotto di salvataggio**	il kanotto di salvataddjo
ceinture de sauvetage	**la cintura di salvataggio**	la tchinntoûra di salvataddjo
croisière	**la crociera**	la krotchééra
ferry-boat	**il traghetto (per automobili)**	il traghétto (pér aoutomoobili)
hydroglisseur	**l'aliscafo**	laliskaafo
pont	**il ponte**	il ponnté

Location de bicyclettes *Noleggio biciclette*

Votre hôtel ou l'office du tourisme pourront sans doute vous fournir une adresse.

Je voudrais louer une bicyclette.	**Vorrei noleggiare una bicicletta.**	vorréy noléddjaaré oûna bitchiklétta

Autres moyens de transport *Altri mezzi di trasporto*

hélicoptère	**l'elicottero**	lélikottéro
motocyclette	**la motocicletta**	la mototchiklétta
scooter	**la motoretta**	la motorétta
téléphérique	**la funivia**	la founiviia
vélomoteur	**il motorino**	il motoriino

Mais peut-être préférez-vous faire ...

de l'auto-stop	**fare l'autostop**	faaré laoutostop
de la marche à pied	**andare a piedi**	anndaaré a pyéédi
une randonnée	**camminare**	kamminaaré

SPORTS, voir page 89

Voiture *Macchina*

Le réseau routier est en général en bon état. En Italie les autoroutes sont à péages; en Suisse, si vous voulez emprunter les autoroutes, il vous faudra acheter une vignette, à coller sur le pare-brise et valable une année. La ceinture de sécurité *(la cintura di sicurezza)* n'est pas encore obligatoire en Italie, et l'essence sans plomb est rare.

Où est la station (self-)service la plus proche?	**Dov'è la stazione di rifornimento (con self-service) più vicina?**	do**vé** la sta**tsyoo**né di riforni**mén**to (konn «self-service») pyou vi**tchii**na
Le plein, s.v.p.	**Faccia il pieno, per favore.**	**fat**tcha il **pyéé**no pér fa**voo**ré
super/normale	**super/normale**	**soû**pér/nor**maa**lé
essence sans plomb	**benzina senza piombo**	bén**dzii**na **sén**tsa **pyomm**bo
diesel	**gasolio**	ga**zoo**lyo
Contrôlez, s.v.p., le/la...	**Per favore, controlli...**	pér fa**voo**ré konn**trol**li
batterie	**la batteria**	la batté**rii**a
eau/huile	**l'acqua/l'olio**	**lak**koua/**loo**lyo
liquide des freins	**l'olio dei freni**	**loo**lyo déy **fréé**ni
Pourriez-vous contrôler la pression des pneus?	**Può controllare la pressione delle gomme?**	pouo konntrol**laa**ré la prés**syoo**né **dél**lé **gom**mé
1,6 à l'avant, 1,8 à l'arrière	**1,6 davanti, 1,8 dietro.**	**oû**no é sééy da**vann**ti **oû**no é **ot**to **dyé**tro
Vérifiez aussi la roue de secours.	**Controlli anche la ruota di scorta.**	konn**trol**li **ann**ké la **rouoo**ta di **skor**ta
Pouvez-vous réparer ce pneu plat?	**Può riparare questa gomma forata?**	pouo ripa**raa**ré **koués**ta **gom**ma fo**raa**ta
Pourriez-vous changer le/la/les...	**Potrebbe cambiare...?**	po**tréb**bé kamm**byaa**ré
ampoule	**la lampadina**	la lammpa**dii**na
bougies	**le candele**	lé kann**déé**lé
courroie du ventilateur	**la cinghia del ventilatore**	la **tchinn**ghya dél véntila**too**ré
essuie-glaces	**i tergicristalli**	i térdjikri**stal**li
pneu	**la gomma**	la **gom**ma

LOCATION DE VOITURES, voir page 20

Pourriez-vous me nettoyer le pare-brise, s.v.p.?	**Potrebbe pulirmi il parabrezza, per favore?**	po**tréb**bé pou**liir**mi il para**bréd**dza pér fa**voo**ré
Où puis-je faire laver ma voiture?	**Dove posso far lavare la macchina?**	**doo**vé **pos**so far la**vaa**ré la **mak**kina
Y a-t-il un tunnel de lavage?	**C'è un autolavaggio?**	tché oun aoutola**vad**djo

Pour demander son chemin *Per chiedere la strada*

Pouvez-vous me dire où se trouve...?	**Può dirmi dove si trova...?**	pouo **diir**mi **doo**vé si **troo**va
Comment puis-je me rendre à...?	**Come si va a...?**	**koo**mé si va a
Dans quelle direction se trouve...?	**In che direzione è...?**	inn ké diré**tsyoo**né é
Sommes-nous sur la bonne route pour...?	**Siamo sulla strada giusta per...?**	**syaa**mo **soul**la **straa**da **djous**ta pér
Y a-t-il une route peu fréquentée?	**C'è una strada con poco traffico?**	tché **oû**na **straa**da konn **poo**ko **traf**fiko
A quelle distance sommes-nous de...?	**Quanto dista... da qui?**	**kouann**to **dis**ta... da koui
Y a-t-il une autoroute?	**C'è un'autostrada?**	tché ounaouto**straa**da
Combien de temps faut-il en voiture/ à pied?	**Quanto tempo ci vuole in macchina/ a piedi?**	**kouann**to **tém**po tchi **vouoo**lé inn **mak**kina/ a **pyéé**di
Comment puis-je me rendre à cet endroit/cette adresse?	**Come posso trovare questo luogo/ questo indirizzo?**	**koo**mé **pos**so tro**vaa**ré **koués**to louo**o**go/ **koués**to inndi**rit**tso
Où est-ce?	**Dov'è?**	do**vé**
Pouvez-vous me montrer sur la carte où je me trouve?	**Può indicarmi sulla carta dove mi trovo?**	pouo inndi**kar**mi **soul**la **kar**ta **doo**vé mi **troo**vo
Est-ce loin?	**È lontano?**	é lonn**taa**no
Combien de kilomètres (environ)?	**Quanti chilometri (circa)?**	**kouann**ti ki**loo**métri (**tchir**ka)

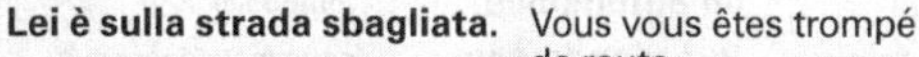

Lei è sulla strada sbagliata.	Vous vous êtes trompé de route.
Vada diritto.	Continuez tout droit.
È laggiù…	C'est là-bas…
a sinistra/a destra **di fronte a…/dietro…** **accanto a…/dopo…**	à gauche/à droite en face de…/derrière… à côté de…/après…
nord/sud/est/ovest	nord/sud/est/ouest
Vada fino al primo/secondo incrocio.	Allez jusqu'au premier/second carrefour.
Al semaforo, giri a sinistra.	Aux prochains feux, tournez à gauche.
Prenda la seconda strada a destra.	Prenez la deuxième rue à droite.
Segua la direzione per…	Suivez la direction…
Deve ritornare a…	Il vous faut retourner à…

Stationnement *Parcheggio*

Où puis-je me garer?	**Dove posso parcheggiare?**	**doo**vé **pos**so parkéd**djaa**ré
Y a-t-il un parking souterrain ici?	**C'è qui un parcheggio sotterraneo?**	tché koui oun par**kéd**djo sottér**raa**néo
Y a-t-il un parking dans les environs?	**C'è un parcheggio qui vicino?**	tché oun par**kéd**djo koui vi**tchii**no
Puis-je me parquer ici?	**Posso parcheggiare qui?**	**pos**so parkéd**djaa**ré koui
Combien de temps puis-je rester ici?	**Quanto tempo posso restare qui?**	**kouann**to **tém**po **pos**so ré**staa**ré koui
Quel est le tarif par heure?	**Quanto si paga all'ora?**	**kouann**to si **paa**ga al**loo**ra
Avez-vous de la monnaie pour le parcomètre?	**Ha della moneta per il parchimetro?**	a **dél**la mo**néé**ta pér il par**kii**métro
Ce parking est-il surveillé?	**Questo parcheggio è custodito?**	**koués**to par**kéd**djo é kousto**dii**to

Pannes – Assistance routière *Guasti – Assistenza stradale*

Ma voiture est en panne.	**Ho un guasto all'automobile.**	o oun **gouas**to allaoutomoobilé
Pouvez-vous m'envoyer un mécanicien/ une dépanneuse?	**Può mandare un meccanico/un carro attrezzi?**	pouo mann**daa**ré oun mék**kaa**niko/oun **kar**ro at**trét**tsi
Ma voiture ne démarre pas.	**La mia macchina non parte.**	la **mi**ia **mak**kina nonn **par**té
La batterie est à plat.	**La batteria è scarica.**	la batt**é**r**ii**a é **skaa**rika
Je suis en panne sèche.	**Sono rimasto(a) senza benzina.**	**soo**no ri**mas**to(a) **sén**tsa bén**dzii**na
J'ai un pneu plat.	**Ho una gomma sgonfia.**	o **oû**na **gom**ma **sgonn**fya
J'ai un problème avec le/la/les…	**Qualcosa non va con…**	koual**koo**za nonn va konn
allumage	**l'accensione**	lattchén**syoo**né
carburateur	**il carburatore**	il karboura**too**ré
embrayage	**la frizione**	la fri**tsyoo**né
frein à main	**il freno a mano**	il **fréé**no a **maa**no
freins	**i freni**	i **fréé**ni
moteur	**il motore**	il mo**too**ré
phares	**i fari**	i **faa**ri
radiateur	**il radiatore**	il radya**too**ré
roue	**la ruota**	la rou**oo**ta
système électrique	**l'impianto elettrico**	limm**pyann**to é**lét**triko
tuyau d'échappement	**il tubo di scappamento**	il **toû**bo di skappa**mén**to
vitesses	**il cambio delle marce**	il **kamm**byo **dél**lé **mar**tché
Pouvez-vous me prêter un/une/des…?	**Può prestarmi…?**	pouo pré**staar**mi
bidon (jerricane)	**un bidone per la benzina**	oun bi**doo**né pér la bén**dzii**na
câble de remorquage	**una corda per il traino**	**oû**na **kor**da pér il **traa**ïno
câble de pontage pour batterie	**delle pinze carica-batteria**	**dél**lé **pinn**tsé **kaa**rika-batté**rii**a
clef anglaise	**una chiave inglese**	**oû**na **kyaa**vé inn**ghléé**zé
cric	**un cric**	oun krik
outils	**degli attrezzi**	**déé**lyi at**trét**tsi
Où est le garage le plus proche?	**Dov'è il garage più vicino?**	do**vé** il «garage» pyou vit**chii**no

Pouvez-vous réparer ma voiture?	**Può riparare la mia macchina?**	pouo ripa**raa**ré la **mii**a **mak**kina
Combien de temps faudra-t-il?	**Quanto tempo ci vorrà?**	**kouann**to **tém**po tchi vor**ra**
Combien celà coûtera-t-il?	**Quanto costerà?**	**kouann**to kosté**ra**

Accident – Police *Incidenti – Polizia*

Appelez la police, s.v.p.	**Per favore, chiami la polizia.**	pér fa**voo**ré **kyaa**mi la polit**sii**a
Il y a eu un accident.	**C'è stato un incidente.**	tché **staa**to oun inntchi**dén**té
Il y a des blessés.	**Ci sono dei feriti.**	tchi **soo**no déy fé**rii**ti
Vite, appelez un médecin/une ambulance.	**Chiami un dottore/ un'ambulanza, presto.**	**kyaa**mi oun dot**too**ré/ ounammbou**lann**tsa **prés**to
Votre nom et votre adresse, s.v.p.	**Qual è il suo nome e indirizzo?**	koua**lé** il **soû**o **noo**mé é inndi**rit**tso
Quelle est votre compagnie d'assurance?	**Qual è la sua assicurazione?**	koua**lé** la **soû**a assi-koura**tsyoo**né

Panneaux routiers *Segnali stradali*

ALT	Stop
CADUTA MASSI	Chutes de pierres
CIRCONVALLAZIONE	Contournement
CORSIA D'EMERGENZA	Piste de secours
CURVA PERICOLOSA	Virage dangereux
DEVIAZIONE	Déviation
LAVORI IN CORSO	Travaux en cours
PAGAMENTO PEDAGGIO	Péage
RALLENTARE	Ralentir
SCUOLA	Ecole
SENSO UNICO	Sens unique
SOCCORSO A.C.I.	Poste de secours de l'Automobile Club d'Italie
STRADA DISSESTATA	Chaussée déformée
USCITA	Sortie
VELOCITÀ MASSIMA	Vitesse maximum
VIETATO AL TRAFFICO	Interdit à la circulation
ZONA PEDONALE	Zone piétonne

URGENCES, voir page 157

Visites touristiques

Comme partout ailleurs, les offices de tourisme peuvent vous donner de précieux renseignements sur les manifestations, les endroits à voir et les heures d'ouverture.

Où se trouve l'office du tourisme?	**Dov'è l'ufficio turistico?**	do**vé** louf**fii**tcho tou**ris**tiko
Que faut-il visiter avant tout?	**Quali sono i principali punti di interesse?**	**kouaa**li **soo**no i prinn-tchi**paa**li **poun**ti dinnté**rés**sé
Nous sommes ici pour...	**Siamo qui per...**	**syaa**mo koui pér
quelques heures	**alcune ore soltanto**	al**koû**né **oo**ré sol**tann**to
un jour	**un giorno**	oun **djor**no
une semaine	**una settimana**	**oû**na sétti**maa**na
Pouvez-vous nous recommander...?	**Può consigliare...?**	pouo konnsi**lyaa**ré
excursion	**una gita**	**ou**na **djii**ta
tour de ville	**un giro della città**	oun **djii**ro **dél**la tchit**ta**
visite guidée	**un giro turistico**	oun **djii**ro tou**ris**tiko
D'où/A quelle heure partons-nous?	**Da dove/A che ora si parte?**	da **doo**vé/a ké **oo**ra si **par**té
Le bus nous prendra-t-il à l'hôtel?	**Il pullman passerà a prenderci all'hotel?**	il **poul**mann pass**éra** a **prén**dértchi allo**tél**
Combien coûte l'excursion?	**Quanto costa la gita?**	**kouann**to **kos**ta la **djii**ta
Le déjeuner est-il compris?	**Il pranzo è compreso nel prezzo?**	il **prann**dzo é komm**préé**zo nél **prét**tso
A quelle heure serons-nous de retour?	**A che ora si ritorna?**	a ké **oo**ra si ri**tor**na
Aurons-nous un peu de temps libre à...?	**Avremo del tempo libero a...?**	av**réé**mo dél **tém**po **lii**béro a
Y a-t-il un guide qui parle français?	**C'è una guida che parli francese?**	tché **oû**na **gouii**da ké **par**li frann**tchéé**zé
Je voudrais engager un guide privé pour...	**Vorrei avere una guida privata per...**	vor**réy** a**véé**ré **oû**na **gouii**da pri**vaa**ta pér
une demi-journée	**mezza giornata**	**méd**dza djor**naa**ta
toute une journée	**una giornata intera**	**oû**na djor**naa**ta inn**téé**ra

Où est/sont...?	**Dov'è/Dove sono ...?**	do**vé**/**doo**vé **soo**no
abbaye	**l'abbazia**	labba**tsii**a
arène	**l'arena**	la**réé**na
bâtiment	**l'edificio**	lédi**fii**tcho
bibliothèque	**la biblioteca**	la biblio**téé**ka
Bourse	**la borsa valori**	la **bor**sa va**loo**ri
catacombes	**le catacombe**	lé kata**komm**bé
cathédrale	**la cattedrale**	la katté**draa**lé
centre (ville)	**il centro (città)**	il **tchén**tro (tchit**ta**)
centre des affaires	**il quartiere degli affari**	il kouar**tyéé**ré **déé**lyi af**faa**ri
chapelle	**la cappella**	la kap**pél**la
château	**il castello**	il ka**stél**lo
cimetière	**il cimitero**	il tchimi**téé**ro
cloître	**il chiostro**	il **kyos**tro
couvent	**il convento**	il konn**vén**to
dôme	**il duomo**	il **douoo**mo
église	**la chiesa**	la **kyéé**za
exposition	**l'esposizione**	léspozi**tsyoo**né
fabrique	**la fabbrica**	la **fab**brika
foire	**la fiera**	la **fyéé**ra
fontaine	**la fontana**	la fonn**taa**na
forteresse	**la fortezza**	la for**tét**tsa
fouilles	**gli scavi**	lyi **skaa**vi
hôtel de ville	**il municipio**	il mouni**tchii**pyo
jardins	**i giardini**	i djar**dii**ni
jardin botanique	**il giardino botanico**	il djar**dii**no bo**taa**niko
maison des congrès	**il centro dei congressi**	il **tchén**tro déy konn**grés**si
marché	**il mercato**	il mér**kaa**to
marché aux puces	**il mercato delle pulci**	il mér**kaa**to **dél**lé **poul**tchi
monastère	**il monastero**	il mona**stéé**ro
monument	**il monumento**	il monou**mén**to
musée	**il museo**	il mou**zéé**o
observatoire	**l'osservatorio**	lossérva**too**ryo
opéra	**il teatro dell'opera**	il té**aa**tro dél**loo**péra
palais	**il palazzo**	il pa**lat**tso
palais de justice	**il palazzo di giustizia**	il pa**lat**tso di djiou**stii**tsia
parc	**il parco**	il **par**ko
Parlement	**il palazzo del Parlamento**	il pa**lat**tso dél parla**mén**to
place	**la piazza**	la **pyat**tsa
port	**il porto**	il **por**to
portail	**la porta**	la **por**ta
quartier commerçant	**la zona dei negozi**	la **dzoo**na déy né**goo**tsi

remparts	**i bastioni**	i ba**styoo**ni
ruines	**le rovine**	lé ro**vii**né
salle de concerts	**la sala dei concerti**	la **saa**la déy konn**tchér**ti
stade	**lo stadio**	lo **staa**dyo
statue	**la statua**	la **staa**toua
théâtre	**il teatro**	il té**aa**tro
tombeau	**la tomba**	la **tomm**ba
tour	**la torre**	la **tor**ré
université	**l'università**	louniversi**ta**
vieille ville	**la città vecchia**	la tchit**ta vék**kya
zoo	**lo zoo**	lo zoo

Entrée *All'entrata*

Quelles sont les heures d'ouverture?	**Qual è l'orario d'apertura?**	koua**lé** lo**raa**ryo dapér**toû**ra
Quelle est l'heure de fermeture?	**A che ora chiude?**	a ké **oo**ra **kyoû**dé
Est-ce ouvert le dimanche?	**È aperto la domenica?**	é a**pér**to la do**méé**nika
Combien coûte l'entrée?	**Quanto costa l'entrata?**	**kouann**to **kos**ta lén**traa**ta
Y a-t-il une réduction pour...?	**C'è una riduzione per...?**	tché **oû**na ridou**tsyoo**né pér
enfants	**i bambini**	i bamm**bii**ni
étudiants	**gli studenti**	lyi stou**dén**ti
groupes	**i gruppi**	i **group**pi
handicapés	**gli andicappati**	lyi anndikap**paa**ti
retraités	**i pensionati**	i pénsyo**naa**ti
Y a-t-il une visite guidée?	**C'è una visita guidata?**	tché **oû**na **vii**zita goui**daa**ta
Avez-vous un guide (en français)?	**Ha una guida (in francese)?**	a **oû**na **gouii**da (inn frann**tchéé**zé)
Je voudrais acheter un catalogue.	**Vorrei comprare un catalogo.**	vor**réy** komm**praa**ré oun ka**taa**logo
Est-il permis de photographier?	**È permesso fare delle fotografie?**	é pér**més**so **faa**ré **dél**lé fotogra**fii**é

ENTRATA LIBERA	ENTRÉE LIBRE
VIETATO FOTOGRAFARE	INTERDICTION DE PHOTOGRAPHIER

Qui – Quoi – Quand? *Chi – Cosa – Quando?*

Quel est ce bâtiment?	**Che edificio è?**	ké édi**fii**tcho é
Quand fut-il construit?	**Quando fu costruito?**	**kouann**do fou kostrou**ii**to
Qui fut le/l'...?	**Chi fu ...?**	ki fou
architecte	**l'architetto**	larki**tét**to
artiste	**l'artista**	lar**tis**ta
peintre	**il pittore**	il pit**too**ré
sculpteur	**lo scultore**	lo skoul**too**ré
Qui a peint ce tableau?	**Chi dipinse questo quadro?**	ki di**pinn**sé **koués**to **koua**dro
De qui est cette sculpture?	**Chi a fatto questa scultura?**	ki a **fat**to **koués**ta skoul**toû**ra
A quelle époque vivait-il?	**Quando visse?**	**kouann**do **vis**sé
Où se trouve la maison où vivait...?	**Dove si trova la casa in cui visse ...?**	**doo**vé si **troo**va la **kaa**za inn **koû**i **vis**sé
Dans quelle église se trouvent les fresques de...?	**In che chiesa si trovano gli affreschi di ...?**	inn ké **kyéé**za si **troo**vano lyi af**frés**ki di
Je m'intéresse à/aux...	**Mi interesso di ...**	mi inn**té**r**és**so di
antiquités	**antichità**	anntiki**ta**
archéologie	**archeologia**	arkéolo**djii**a
architecture	**architettura**	arkitét**toû**ra
baroque	**barocca**	ba**rok**ka
gothique	**gotica**	**goo**tika
romane	**romanica**	ro**maa**nika
art	**arte**	**ar**té
médiéval	**medievale**	médyé**vaa**lé
de la Renaissance	**del rinascimento**	dél rinachi**mén**to
moderne	**moderna**	mo**dér**na
artisanat (local)	**artigianato (locale)**	artidja**naa**to (lo**kaa**lé)
botanique	**botanica**	bo**taa**nika
céramique	**ceramica**	tché**raa**mika
ethnologie	**etnologia**	étnolo**djii**a
géologie	**geologia**	djéolo**djii**a
histoire	**storia**	**stoo**rya
histoire naturelle	**storia naturale**	**stoo**rya natou**raa**lé
littérature	**letteratura**	léttéra**toû**ra
médecine	**medicina**	médi**tchii**na
mobilier	**mobilio**	mo**bii**lyo
mode	**moda**	**moo**da
mosaïques	**mosaici**	mo**zaa**itchi

musique	**musica**	**moû**zika
numismatique	**numismatica**	noumi**smaa**tika
ornithologie	**ornitologia**	ornitolo**djii**a
peinture	**pittura**	pit**toû**ra
politique	**politica**	po**lii**tika
poterie	**terrecotte**	térré**kot**té
sculpture	**scultura**	skoul**toû**ra
religion	**religione**	réli**djoo**né
zoologie	**zoologia**	dzoolo**djii**a

Voici l'adjectif que vous cherchiez peut-être:

C'est...	**È...**	é
beau	**bello**	**bél**lo
épouvantable	**spaventoso**	spavén**too**zo
étrange	**strano**	**straa**no
fantastique	**fantastico**	fann**tas**tiko
grandiose	**grandioso**	grann**dyoo**zo
horrible	**orribile**	or**rii**bilé
impressionnant	**impressionante**	immpréssyo**nann**té
intéressant	**interessante**	inntéréssa**nn**té
laid	**brutto**	**brout**to
magnifique	**magnifico**	ma**gnii**fiko
romantique	**romantico**	ro**mann**tiko
splendide	**splendido**	**splén**dido
surprenant	**sorprendente**	sorprén**dén**té

Services religieux — *Funzioni religiose*

Y a-t-il près d'ici...?	**C'è una ... qui?**	tché **oû**na... koui
église (catholique)	**chiesa (cattolica)**	**kyéé**za (kat**too**lika)
mosquée	**moschea**	mo**skéé**a
synagogue	**sinagoga**	sina**goo**ga
temple protestant	**chiesa protestante**	**kyéé**za proté**stann**té
A quelle heure commence le culte/ la messe?	**A che ora comincia la funzione/la messa?**	a ké **oo**ra ko**minn**tcha la foun**tsyoo**né/la **méss**a
Où puis-je trouver un... parlant français?	**Dove posso trovare un ... che parli francese?**	**doo**vé **pos**so tro**vaa**ré oun... ké **par**li frann**tchéé**zé
prêtre/pasteur/ rabbin	**prete/pastore/ rabbino**	**préé**té/pa**stoo**ré/ rab**bii**no
Je voudrais visiter l'église.	**Vorrei visitare la chiesa.**	vor**réy** vizi**taa**ré la **kyéé**za

A la campagne *In campagna*

Y a-t-il une route pittoresque pour...?	**C'è una strada panoramica per...?**	tché **oû**na **straa**da panor**aa**mika pér
A quelle distance se trouve...?	**Quanto dista...?**	**kouann**to **dis**ta
Pouvons-nous y aller à pied?	**Possiamo andarvi a piedi?**	pos**syaa**mo ann**daar**vi a **pyéé**di
Quelle est l'altitude de cette montagne?	**Quanto è alta questa montagna?**	**kouann**to é **al**ta **koué**sta monn**ta**gna
Quel est le nom de ce/cet/cette...?	**Che... è?**	ké... é
animal/oiseau	**animale/uccello**	ani**maa**lé/out**tchél**lo
arbre/fleur/plante	**albero/fiore/pianta**	**al**béro/**fyoo**ré/**pyann**ta

canal	**il canale**	il ka**naa**lé
champ	**il campo**	il **kamm**po
chemin	**il sentiero**	il sén**tyéé**ro
chute d'eau	**la cascata**	la kas**kaa**ta
col	**il passo**	il **pas**so
colline	**la collina**	la kol**lii**na
étang	**lo stagno**	lo **sta**gno
falaise	**la scogliera**	la skol**yéé**ra
ferme	**la fattoria**	la fatto**rii**a
forêt	**il bosco**	il **bos**ko
grotte	**la caverna**	la ka**vér**na
jardin	**il giardino**	il djar**dii**no
lac	**il lago**	il **laa**go
mer	**il mare**	il **maa**ré
montagne	**la montagna**	la monn**ta**gna
mur	**il muro**	il **moû**ro
pinède	**la pineta**	la pi**néé**ta
pont	**il ponte**	il **ponn**té
pré	**il prato**	il **praa**to
rivière	**il fiume**	il **fyoû**mé
rocher	**la roccia**	la **rot**tcha
route	**la strada**	la **straa**da
ruisseau	**il ruscello**	il rou**chél**lo
sentier	**il sentiero**	il sén**tyéé**ro
source	**la sorgente**	la sor**djén**té
vallée	**la valle**	la **val**lé
vigne	**la vigna**	la **vi**gna
village	**il villaggio/ il paese**	il vil**lad**djo/il pa**éé**zé

Distractions

La plupart des villes éditent un calendrier des manifestations qu'on peut obtenir dans les hôtels, les kiosques ou à l'office du tourisme. En Italie, les spectacles commencent rarement avant 21 heures.

Avez-vous un programme des spectacles?	**Ha un programma degli spettacoli?**	a oun pro**gram**ma **dée**lyi spét**taa**koli
A quelle heure commence...?	**A che ora inizia...?**	a ké **oo**ra i**nii**tsya
concert	**il concerto**	il konn**tchér**to
film	**il film**	il film
représentation	**la rappresentazione**	la rapprézénta**tsyoo**né
Faut-il réserver à l'avance?	**Si deve riservare in anticipo?**	si **déé**vé risér**vaa**ré inn ann**tii**tchipo
Où peut-on acheter les billets?	**Dove sono in vendita i biglietti?**	**doo**vé **soo**no inn **vén**dita i bi**lyét**ti

Cinéma – Théâtre *Cinema – Teatro*

Qu'y a-t-il au cinéma ce soir?	**Cosa danno al cinema stasera?**	**koo**za **dan**no al **tchii**néma sta**séé**ra
Que donne-t-on au théâtre...?	**Che spettacolo c'è al teatro...?**	ké spét**taa**kolo tché al té**aa**tro
Quel genre de pièce est-ce?	**Che genere di commedia è?**	ké **djéé**néré di kom**méé**dya é
Qui en est l'auteur?	**Chi è l'autore?**	ki é laou**too**ré
Je voudrais voir...	**Vorrei vedere...**	vor**réy** vé**déé**ré
(bon) film	**un (buon) film**	oun (bouonn) film
comédie	**una commedia**	**oû**na kom**méé**dya
comédie musicale	**una commedia musicale**	**oû**na kom**méé**dya mouzi**kaa**lé
Dans quelle salle passe le film de...?	**In che cinema danno il film di...?**	inn ké **tchii**néma **dan**no il film di
Qui en sont les acteurs?	**Chi sono gli attori?**	ki **soo**no lyi at**too**ri
Qui tient le rôle principal?	**Chi interpreta il ruolo principale?**	ki inn**tér**préta il **rouoo**lo prinntchi**paa**lé

MANIFESTATIONS SPORTIVES, voir page 89

Qui est le metteur en scène?	**Chi è il regista?**	ki é il ré**dji**sta
Est-ce un spectacle en plein air?	**È uno spettacolo all'aperto?**	é **oû**no spét**taa**kolo alla**pér**to
Y a-t-il un spectacle son et lumière?	**C'è uno spettacolo suoni e luci?**	tché **oû**no spét**taa**kolo **souoo**ni é **loû**tchi

Opéra – Ballet – Concert *Opera – Balletto – Concerto*

Pouvez-vous me recommander...?	**Può consigliarmi...?**	pouo konnsi**lyaar**mi
ballet concert opéra opérette	**un balletto un concerto un'opera un'operetta**	oun bal**lét**to oun konn**tchér**to ou**noo**péra ounopé**rét**ta
Où est l'Opéra/la salle de concerts?	**Dov'è il teatro dell'opera/la sala dei concerti?**	do**vé** il té**aa**tro dél**loo**péra/la **saa**la déy konn**tchér**ti
Que donne-t-on ce soir à l'Opéra?	**Cosa danno all'Opera questa sera?**	**koo**za **dan**no al**loo**péra **koués**ta **séé**ra
Qui chante/danse?	**Chi canta/balla?**	ki **kann**ta/**bal**la
Quel est le nom de l'orchestre?	**Che orchestra suona?**	ké or**kés**tra **souoo**na
Que joue-t-on?	**Cosa suonano?**	**koo**za **souoo**nano
Qui est le chef/le (la) soliste?	**Chi è il maestro/il (la) solista?**	ki é il ma**és**tro/il (la) so**lis**ta

Billets *Biglietti*

Y a-t-il encore des billets pour...?	**Ci sono ancora biglietti per...?**	tchi **soo**no ann**koo**ra bi**lyét**ti pér
Combien coûtent les places?	**Quanto costano i posti?**	**kouann**to **kos**tano i **pos**ti
Je voudrais réserver 2 places pour...	**Vorrei prenotare 2 posti per...**	vor**réy** préno**taa**ré 2 **pos**ti pér
vendredi (soir) la représentation en matinée (dimanche)	**venerdì (sera) lo spettacolo del pomeriggio (di domenica)**	vénér**di** (**séé**ra) lo spét**taa**kolo dél pomé**rid**djo (di do**méé**nika)

JOURS DE LA SEMAINE, voir page 151

Je voudrais une place...	**Vorrei un posto...**	vor**réy** oun **pos**to
au balcon	**in galleria**	inn gallé**rii**a
au parterre	**in platea**	inn pla**téé**a
au premier rang	**nelle balconate**	**nél**lé balko**naa**té
sur la galerie	**nel loggione**	nél lod**djoo**né
Pas trop en arrière.	**Non troppo indietro.**	nonn **trop**po inn**dyé**tro
Avez-vous de meilleures places/des places moins chères?	**Ha dei posti migliori/più economici?**	a déy **pos**ti mi**lyoo**ri/pyou éko**noo**mitchi
Puis-je avoir un programme?	**Posso avere un programma?**	**pos**so a**véé**ré oun pro**gram**ma
Où est le vestiaire?	**Dov'è il guardaroba?**	do**vé** il gouarda**roo**ba

Sono spiacente, è tutto esaurito.	Je suis désolé(e), c'est complet.
Ci sono alcuni posti in galleria.	Il ne reste que quelques places au balcon.
Posso vedere il suo biglietto?	Votre billet, s.v.p.

Boîtes de nuit *Night-club*

Pouvez-vous me recommander une bonne boîte de nuit?	**Può consigliarmi un buon night-club?**	pouo konnsi**lyaa**rmi oun bouonn «night-club»
Y a-t-il des attractions?	**Ci sono delle attrazioni?**	tchi **soo**no **dél**lé attra**tsyoo**ni
A quelle heure commence le spectacle?	**A che ora inizia lo spettacolo?**	a ké **oo**ra in**ii**tsya lo spét**taa**kolo
La tenue de soirée est-elle de rigueur?	**È necessario l'abito da sera?**	é nétchés**saa**ryo **laa**bito da **séé**ra

Discothèque *Discoteca*

Où pouvons-nous aller danser?	**Dove possiamo andare a ballare?**	**doo**vé pos**syaa**mo ann**daa**ré a bal**laa**ré
Voulez-vous danser?	**Vuole ballare?**	**vouoo**lé bal**laa**ré

Sports *Sport*

Y a-t-il des manifestations sportives en ce moment?	**Ci sono delle manifestazioni sportive in questo periodo?**	tchi **soo**no **dél**lé mani-féstа**tsyoo**ni spor**tii**vé inn **koués**to pé**rii**odo

athlétisme	**l'atletica**	la**tléé**tika
aviron	**il canottaggio**	il kanot**tad**djo
basket	**la pallacanestro**	la pallaka**nés**tro
boxe	**il pugilato**	il poudji**laa**to
course	**la corsa**	la **kor**sa
d'automobiles	**automobilistica**	aoutomobi**lis**tika
de chevaux	**di cavalli**	di ka**val**li
cycliste	**ciclistica**	tchi**klis**tika
football	**il calcio**	il **kal**tcho
ski	**lo sci**	lo chi
volleyball	**la pallavolo**	la palla**voo**lo

Y a-t-il un match de football quelque part?	**C'è una partita di calcio da qualche parte?**	tché **oû**na par**tii**ta di **kal**tcho da **koual**ké **par**té
Quelles sont les équipes qui jouent?	**Che squadre giocano?**	ké **skoua**dré **djoo**-kano
Pouvez-vous me procurer un billet?	**Mi può procurare un biglietto?**	mi pouo prokou**raa**ré oun bi**lyét**to
Combien coûte l'entrée?	**Quanto costa l'entrata?**	**kouann**to **kos**ta lén**traa**ta

Si vous souhaitez pratiquer un sport:

Quels sports peut-on pratiquer ici?	**Quali sport si possono praticare qui?**	**kouaa**li sport si **pos**-sono prati**kaa**ré koui
Y a-t-il un terrain de golf?	**C'è un campo da golf?**	tché oun **kamm**po da golf
Y a-t-il des courts de tennis?	**Ci sono dei campi da tennis?**	tchi **soo**no dév **kamm**pi da **tén**nis
Je voudrais jouer au tennis.	**Vorrei giocare a tennis.**	vor**réy** djo**kaa**ré a **tén**nis
Quel est le tarif par heure/partie?	**Qual è il prezzo per un'ora/una partita?**	koua**lé** il **prét**tso pér ou**noo**ra/**oû**na par**tii**ta
Puis-je louer des raquettes?	**Posso noleggiare le racchette?**	**pos**so noléd**djaa**ré lé rak**két**té

Y a-t-il par ici un bon endroit pour chasser/pêcher?	**Ci sono buone possibilità di caccia/ di pesca in questa zona?**	tchi **soo**no **bouoo**né possibili**ta** di **kat**tcha/ di **pés**ka inn **koué**sta **dzoo**na
Est-il nécessaire d'avoir un permis?	**È necessaria la licenza?**	é nétchés**saa**rya la li**tchén**tsa

alpinisme	**l'alpinismo**	lalpi**nis**mo
cyclisme	**il ciclismo**	il tchi**klis**mo
équitation	**l'equitazione**	lékouita**tsyoo**né
golf	**il golf**	il golf
jogging	**il jogging**	il «jogging»
natation	**il nuoto**	il **nouoo**to
patinage	**il pattinaggio**	il patti**nad**djo
planche à voile	**la tavola a vela**	la **taa**vola a **vée**la
randonnée	**la marcia**	la **mar**tcha
tennis	**il tennis**	il **tén**nis
voile	**la vela**	la **vée**la

Peut-on se baigner dans le lac/la rivière?	**Si può nuotare nel lago/fiume?**	si pouo nouo**taa**ré nél **laa**go/**fyoû**mé
Y a-t-il une piscine dans les environs?	**C'è una piscina nei dintorni?**	tché **oû**na pi**chii**na néy dinn**tor**ni
Est-elle couverte ou en plein air?	**È una piscina coperta o all'aperto?**	é **oû**na pi**chii**na ko**pér**ta o alla**pér**to
Est-elle chauffée?	**È riscaldata?**	é riskal**daa**ta?
Quelle est la température de l'eau?	**Qual è la temperatura dell'acqua?**	koua**lé** la témpéra**toû**ra dél**lak**koua

Plage *Spiaggia*

Est-ce une plage...?	**È una spiaggia ...?**	é **oû**na **spyad**dja
avec des rochers	**con delle rocce**	konn **dél**lé **rot**tché
de sable	**di sabbia**	di **sab**bya
de pierres	**di sassi**	di **sas**si
Peut-on y nager sans danger?	**Si può nuotare senza pericolo?**	si pouo nouo**taa**ré **sén**tsa pé**rii**kolo
Y a-t-il un gardien de plage?	**C'è un bagnino?**	tché oun ba**gnii**no
L'eau est-elle profonde?	**È profonda l'acqua?**	é pro**fonn**da **lak**koua

Y a-t-il de grosses vagues?	**Ci sono delle grosse onde?**	tchi **soo**no **dél**lé **gros**sé **onn**dé
Y a-t-il des courants dangereux?	**Vi sono correnti pericolose?**	vi **soo**no kor**rén**ti périko**loo**zé
A quelle heure est la marée haute/la marée basse?	**A che ora è l'alta marea/la bassa marea?**	a ké **oo**ra é **lal**ta ma**réé**a/la **bas**sa ma**réé**a
Je voudrais louer...	**Vorrei noleggiare...**	vor**réy** noléd**djaa**ré
bateau à rames	**una barca a remi**	**oû**na **bar**ka a **réé**mi
cabine de bain	**una cabina**	**oû**na ka**bii**na
chaise longue	**una sedia a sdraio**	**oû**na **séé**dya a **sdraa**yo
canot à moteur	**un motoscafo**	oun moto**skaa**fo
équipement de plongée	**un equipaggiamento subacqueo**	oun ékouipaddja**mén**to sou**bak**kouéo
parasol	**un ombrellone**	oun ommbrél**loo**né
pédalo	**un pedalò**	oun péda**lo**
planche à voile	**una tavola a vela**	**oû**na **taa**vola a **véé**la
skis nautiques	**degli sci nautici**	**déé**lyi chi **na**outitchi
voilier	**una barca a vela**	**oû**na **bar**ka a **véé**la

SPIAGGIA PRIVATA	PLAGE PRIVÉE
DIVIETO DI BALNEAZIONE	BAIGNADE INTERDITE

Sports d'hiver *Sport invernali*

Je voudrais skier.	**Vorrei sciare.**	vor**réy** chi**aa**ré
ski de piste/ski de fond	**sci di pista/sci di fondo**	chi di **pis**ta/chi di **fonn**do
Les pistes sont-elles bonnes?	**Sono buone le piste?**	**soo**no **bouoo**né lé **pis**té
Y a-t-il des remontées mécaniques?	**Ci sono delle sciovie?**	tchi **soo**no **dél**lé chio**vii**é
Y a-t-il une patinoire ici?	**C'è una pista di pattinaggio qui?**	tché **oû**na **pis**ta di patti**nad**djo koui
Je voudrais louer...	**Vorrei noleggiare...**	vor**réy** noléd**djaa**ré
patins	**dei pattini**	déy **pat**tini
skis	**degli sci**	**déé**lyi chi
souliers de ski	**degli scarponi da sci**	**déé**lyi skar**poo**ni da chi

Faire connaissance

Présentations *Presentazione*

Permettez-moi de vous présenter…	**Posso presentarle …?**	**pos**so prézén**taar**lé
Je vous présente…	**Le presento …**	lé pré**zén**to
Je m'appelle…	**Mi chiamo …**	mi **kyaa**mo
Enchanté(e).	**Piacere.**	pya**chéé**ré
Comment vous appelez-vous?	**Come si chiama?**	**koo**mé si **kyaa**ma
Comment allez-vous?	**Come sta?**	**koo**mé sta
Bien, merci. Et vous?	**Bene, grazie. E lei?**	**béé**né **graa**tsyé. é **léé**y

Pour rompre la glace *Per rompere il ghiaccio*

Depuis combien de temps êtes-vous ici?	**Da quanto tempo è qui?**	da **kouann**to **tém**po é koui
Nous sommes ici depuis une semaine.	**Siamo qui da una settimana.**	**syaa**mo koui da **oû**na sétti**maa**na
Est-ce votre premier séjour ici?	**È la prima volta che viene?**	é la **prii**ma **vol**ta ké **vyéé**né
Non, nous sommes déjà venus l'année dernière.	**No, siamo già venuti l'anno scorso.**	no **syaa**mo dja vé**noû**ti **lan**no **skor**so
Vous plaisez-vous ici?	**Le piace stare qui?**	lé **pyaa**tché **staa**ré koui
Oui, je m'y plais beaucoup.	**Sì, mi piace molto.**	si mi **pyaa**tché **mol**to
Le paysage me plaît beaucoup.	**Mi piace molto il paesaggio.**	mi **pyaa**tché **mol**to il paé**zad**djo
Que pensez-vous du pays/des gens?	**Cosa pensa del paese/della gente?**	**koo**za **pén**sa dél pa**éé**zé/ **dél**la **djén**té
D'où venez-vous?	**Da dove viene?**	da **doo**vé **vyéé**né
Je viens de…	**Vengo da …**	**vén**go da
Je suis…	**Sono …**	**soo**no
Belge Français(e) Suisse(esse)	**belga francese svizzero(a)**	**bél**ga frann**tchéé**zé **svit**tséro(a)

PAYS, voir page 146

Où habitez-vous?	**Dove abita?**	**doo**vé **aa**bita
J'habite chez des amis.	**Sono presso amici.**	**soo**no **prés**so a**mii**tchi
Etes-vous seul(e)?	**È solo(a)?**	é **soo**lo(a)
Je suis avec…	**Sono con.…**	**soo**no konn
ma femme	**mia moglie**	**mii**a **moo**lyé
mon mari	**mio marito**	**mii**o ma**rii**to
ma famille	**la mia famiglia**	la **mii**a fa**mii**lya
mes enfants	**i miei bambini**	i **myéé**i bamm**bii**ni
mes parents	**i miei genitori**	i **myéé**i djénit**too**ri
mon ami/amie	**il mio amico/la mia amica**	il **mii**o a**mii**ko/la **mii**a a**mii**ka
des amis	**degli amici**	**déé**lyi a**mii**tchi
un groupe	**un gruppo**	oun **group**po

grand-père/grand-mère	**il nonno/la nonna**	il **non**no/la **non**na
père/mère	**il padre/la madre**	il **pa**dré/la **ma**dré
fils/fille	**il figlio/la figlia**	il **fii**lyo/la **fii**lya
frère/sœur	**il fratello/la sorella**	il fra**tél**lo/la so**rél**la
oncle/tante	**lo zio/la zia**	lo **dzii**o/la **dzii**a
neveu/nièce	**il nipote/la nipote**	il ni**poo**té/la ni**poo**té
cousin/cousine	**il cugino/la cugina**	il kou**djii**no/la kou**djii**na

Etes-vous marié(e)/célibataire?	**È sposato(a)/scapolo (nubile)?**	é spo**zaa**to(a)/**skaa**polo (**noû**bilé)
Avez-vous des enfants?	**Ha dei bambini?**	a déy bamm**bii**ni
Quelle est votre profession?	**Che lavoro fa?**	ké la**voo**ro fa
Où travaillez-vous?	**Dove lavora?**	**doo**vé la**voo**ra
Je suis étudiant(e).	**Sono studente.**	**soo**no stou**dén**té
Qu'étudiez-vous?	**Che cosa studia?**	ké **koo**za **stoû**dya
Je suis en voyage d'affaires.	**Sono in viaggio d'affari.**	**soo**no inn **vyad**djo daf**faa**ri
Voyagez-vous beaucoup?	**Viaggia molto?**	**vyad**dja **mol**to
Jouez-vous aux cartes/aux échecs?	**Gioca a carte/a scacchi?**	**djo**ka a **kar**té/a **skak**ki

Le temps *Il tempo*

Quelle belle journée!	**Che bella giornata!**	ké **bél**la djor**naa**ta
Quel temps affreux!	**Che tempo orribile!**	ké **tém**po or**rii**bilé
Comme il fait froid!	**Che freddo!**	ké **fréd**do
Quelle chaleur!	**Che caldo!**	ké **kal**do
Il y a du vent.	**C'è molto vento.**	tché **mol**to **vén**to
Pensez-vous que demain...?	**Pensa che domani...?**	**pén**sa ké do**maa**ni
il fera beau il pleuvra il neigera	**farà bel tempo** **pioverà** **nevicherà**	fa**ra** bél **tém**po pyové**ra** névikér**a**
Quelles sont les prévisions du temps?	**Quali sono le previsioni del tempo?**	**kouaa**li **soo**no lé prévi**zyoo**ni dél **tém**po

brouillard	**la nebbia**	la **néb**bya
ciel	**il cielo**	il **tchéé**lo
éclair	**il lampo**	il **lamm**po
étoile	**la stella**	la **stél**la
gel	**il gelo**	il **djéé**lo
glace	**il ghiaccio**	il **ghyat**tcho
grêle	**la grandine**	la **grann**diné
lune	**la luna**	la **loû**na
neige	**la neve**	la **néé**vé
nuage	**la nuvola**	la **noû**vola
orage	**il temporale**	il tempo**raa**lé
pluie	**la pioggia**	la **pyod**dja
soleil	**il sole**	il **soo**lé
tempête	**la tempesta**	la tém**pés**ta
tonnerre	**il tuono**	il **touoo**no
vent	**il vento**	il **vén**to

Invitations *Inviti*

Voulez-vous venir dîner chez nous...?	**Verrebbe a cena da noi...?**	vér**réb**bé a **tchéé**na da nooï
Puis-je vous inviter à déjeuner?	**Posso invitarla a pranzo?**	**pos**so innvi**taar**la a **prann**dzo

JOURS DE LA SEMAINE, voir page 151

Venez donc prendre un verre chez nous ce soir.	**Venga a bere un bicchiere da noi questa sera.**	**vén**ga a **béé**ré oun bik**kyéé**ré da nooï **koués**ta **séé**ra
Il y aura une petite réception. Viendrez-vous?	**C'è un piccolo ricevimento. Viene?**	tché oun **pik**kolo ritchévi**mén**to. **vyéé**né
Vous êtes trop aimable.	**Lei è troppo gentile.**	léy é **trop**po djén**tii**lé
Je viendrai avec plaisir.	**Verrò con piacere.**	vér**ro** konn pya**tchéé**ré
A quelle heure faut-il venir?	**A che ora dobbiamo venire?**	a ké **oo**ra dob**byaa**mo vé**nii**ré
Puis-je amener un ami/une amie?	**Posso portare un amico/un'amica?**	**pos**so por**taa**ré oun a**mii**ko/ouna**mii**ka
Je suis désolé(e), mais nous devons partir.	**Mi dispiace, ma adesso dobbiamo andare.**	mi di**spyaa**tché ma a**dés**so dob**byaa**mo ann**daa**ré
La prochaine fois ce sera à vous de nous rendre visite.	**La prossima volta sarete voi a farci visita.**	la **pros**sima **vol**ta sa**réé**té vooï a **far**tchi **vii**zita
Merci pour cette agréable soirée.	**Grazie per la bella serata.**	**graa**tsyé pér la **bél**la sé**raa**ta

Rendez-vous *Appuntamento*

Est-ce que ça vous dérange que je fume?	**La disturbo se fumo?**	la di**stour**bo sé **foû**mo
Voulez-vous une cigarette?	**Vuole una sigaretta?**	**vouoo**lé **oû**na siga**rét**ta
Avez-vous du feu, s.v.p.?	**Ha un fiammifero, per favore?**	a oun fyam**mii**féro pér fa**voo**ré
Pourquoi riez-vous?	**Perchè ride?**	pér**ké rii**dé
Mon italien est-il si mauvais?	**Parlo così male l'italiano?**	**par**lo ko**zi maa**lé lita**lyaa**no
Puis-je m'asseoir ici?	**Permette che mi sieda qui?**	pér**mét**té ké mi **syéé**da koui
Puis-je vous offrir un verre?	**Posso offrirle qualcosa da bere?**	**pos**so of**friir**lé koual**koo**za da **béé**ré
Attendez-vous quelqu'un?	**Aspetta qualcuno?**	a**spét**ta koual**koû**no

Etes vous libre ce soir?	**È libero(a) stasera?**	é **lii**béro(a) sta**séé**ra
Voulez-vous sortir avec moi?	**Vuole uscire con me?**	**vouoo**lé ou**chii**ré konn mé
Voulez-vous aller danser?	**Le piacerebbe andare a ballare?**	lé pyatché**réb**bé ann**daa**ré a bal**laa**ré
Je connais une bonne discothèque.	**Conosco una buona discoteca.**	ko**nos**ko **oû**na **bouoo**na disko**téé**ka
Si nous allions au cinéma?	**Andiamo al cinema?**	ann**dyaa**mo al **tchii**nóma
Si nous allions faire un tour en voiture?	**Andiamo a fare un giro in macchina?**	ann**dyaa**mo a **faa**ré oun **djii**ro inn **mak**kina
Où nous retrouve-rons-nous?	**Dove possiamo incontrarci?**	**doo**vé pos**syaa**mo innkonn**traar**tchi
Je passerai vous prendre à l'hôtel.	**Passerò a prenderla all'albergo.**	passé**ro** a **prén**dérla allal**bér**go
Je viendrai vous chercher à 8 heures.	**Passerò da lei alle 8.**	passé**ro** da léy **al**lé 8
Pouvons-nous nous tutoyer?	**Possiamo darci del tu?**	pos**syaa**mo **daar**tchi dél tou
Puis -je vous/te raccompagner?	**Posso accompagnarla/accompagnarti a casa?**	**pos**so akkommpa**gnaar**la/akkommpa**gnaar**ti a **kaa**za
Puis-je vous/te revoir demain?	**Posso rivederla/rivederti domani?**	**pos**so rivé**déér**la/rivé**déér**ti do**maa**ni

Peut-être aurez-vous envie de répondre...

Avec plaisir, merci.	**Con piacere, grazie.**	konn pya**tchéé**ré **graa**tsyé
C'était une très bonne soirée, merci.	**Grazie, è stata una serata molto bella.**	**graa**tsyé é **staa**ta **oû**na sé**raa**ta **mol**to **bél**la
Je me suis bien amusé(e).	**Mi sono divertito(a) molto.**	mi **soo**no divér**tii**to(a) **mol**to
Merci , mais je n'ai pas le temps.	**Grazie, ma non ho tempo.**	**graa**tsyé ma nonn o **tém**po
Non, cela ne m'inté-resse pas.	**No, non mi interessa.**	no nonn mi innté**rés**sa
Laissez-moi tran-quille!	**Mi lasci in pace!**	mi **la**chi inn **paa**tché

Guide des achats

Ce guide devrait vous aider à trouver sans peine et rapidement ce que vous désirez. Il comprend:

1. une liste des principaux magasins et adresses utiles (pages 98 et 99)
2. des expressions courantes et tournures de phrases qui vous aideront à formuler vos désirs (pages 100 à 103)
3. des détails sur les magasins et commerces. Vous trouverez conseils et listes alphabétiques des articles sous les titres suivants:

Magasins... *Negozi...*

En Italie, les heures d'ouverture des commerces sont assez variables. En général ils sont ouverts dès 8 ou 9 h. le matin jusqu'à 19 ou 20 h. le soir, avec une pause de midi qui peut s'étendre de 12 h. 30 à 15 ou même 16 h. Dans les villes d'une certaine importance, ils sont fermés le samedi après-midi en été et le lundi matin en hiver. Les commerces d'alimentation sont fermés le mercredi ou le jeudi après-midi. Au Tessin, les magasins sont généralement ouverts dès 8 h. ou 8 h. 30 jusqu'à 18 h. 30 ou 19 h. (samedi jusqu'à 16 ou 17 h.).

Où est le/la... le/la plus proche?	**Dov'è il più vicino/ la più vicina...?**	do**vé** il pyou vi**tchii**no/ la pyou vi**tchii**na
antiquaire	**l'antiquario**	lannti**kouaa**ryo
bijouterie	**la gioielleria**	la djoyéllé**rii**a
boucherie	**la macelleria**	la matchéllé**rii**a
boulangerie	**la panetteria**	la panétté**rii**a
bureau de tabac	**la tabaccheria**	la tabakké**rii**a
charcuterie	**la salumeria**	la saloumé**rii**a
confiserie	**la confetteria**	la konnfétté**rii**a
crémerie	**la latteria**	la latté**rii**a
disquaire	**il negozio di dischi**	il né**goo**tsyo di **dis**ki
droguerie	**la farmacia**	la farma**tchii**a
électricien	**l'elettricista**	léléttri**tchis**ta
épicerie	**il negozio di alimentari**	il né**goo**tsyo di alimén**taa**ri
fleuriste	**il fiorista**	il fyo**ris**ta
fourreur	**la pellicceria**	la péllittché**rii**a
grand magasin	**il grande magazzino**	il **grann**dé magad**dzii**no
kiosque à journaux	**l'edicola**	lé**dii**kola
laiterie	**la latteria**	la latté**rii**a
librairie	**la libreria**	la libré**rii**a
magasin d'/de...	**il negozio...**	il né**goo**tsyo
alimentation	**di alimentari**	di alimén**taa**ri
chaussures	**di scarpe**	di **skar**pé
diététique	**di cibi dietetici**	di **tchii**bi dyé**téé**titchi
jouets	**di giocattoli**	di djo**kat**toli
souvenirs	**di oggetti ricordo**	di od**djét**ti ri**kor**do
sport	**di sport**	di sport
tissus	**di tessuti**	di tés**soû**ti
vêtements	**di abbigliamento**	di abbilya**mén**to
vins et liqueurs	**di vini e liquori**	di **vii**ni é li**kouoo**ri
marché	**il mercato**	il mér**kaa**to

HEURES, voir page 154

maroquinerie	**la pelletteria**	la péllétté**rii**a
mercerie	**la merceria**	la mértché**rii**a
opticien	**l'ottico**	**lot**tiko
papeterie	**la cartoleria**	la kartolé**rii**a
parfumerie	**la profumeria**	la profoumé**rii**a
pâtisserie	**la pasticceria**	la pastittché**rii**a
pharmacie	**la farmacia**	la farma**tchii**a
photographe	**il fotografo**	il fo**too**grafo
primeur	**il negozio di frutta e verdura**	il né**goo**tsyo di **frout**ta é vér**doû**ra
poissonnerie	**la pescheria**	la péské**rii**a
quincaillerie	**il negozio di ferramenta**	il né**goo**tsyo di férra**mén**ta
supermarché	**il supermercato**	il soupérmér**kaa**to
traiteur	**la salumeria/ la pizzicheria**	la saloumé**rii**a/ la pittsiké**rii**a

SALDI SOLDES

... et services *... e servizi*

agence de voyage	**l'agenzia di viaggi**	ladjén**tsii**a di **vyad**dji
banque	**la banca**	la **bann**ka
bibliothèque	**la biblioteca**	la biblio**téé**ka
blanchisserie	**la lavanderia**	la lavanndé**rii**a
change (bureau de)	**l'ufficio cambio**	louf**fii**tcho **kamm**byo
coiffeur (dames)	**il parrucchiere**	il parrouk**kyéé**ré
coiffeur (messieurs)	**il barbiere**	il bar**byéé**ré
cordonnier	**il calzolaio**	il kaltso**laa**yo
couturière	**la sarta**	la **sar**ta
galerie d'art	**la galleria d'arte**	la gallé**rii**a **dar**té
horloger	**l'orologiaio**	lorolo**djaa**yo
institut de beauté	**l'istituto di bellezza**	listi**toû**to di bél**lét**tsa
objets trouvés (bureau des)	**l'ufficio oggetti smarriti**	louf**fii**tcho od**djét**ti smar**rii**ti
office du tourisme	**l'ufficio turistico**	louf**fii**tcho tou**ris**tiko
police (poste de)	**il posto di polizia**	il **pos**to di poli**tsii**a
poste (bureau de)	**l'ufficio postale**	louf**fii**tcho pos**taa**lé
salon-lavoir	**la lavanderia automatica**	la lavanndé**rii**a aouto**maa**tika
station d'essence	**la stazione di rifornimento**	la sta**tsyoo**né di riforni**mén**to
tailleur	**il sarto**	il **sar**to
teinturerie	**la tintoria**	la tinnto**rii**a
vétérinaire	**il veterinario**	il vétéri**naa**ryo

Expressions courantes *Espressioni generali*

Où? *Dove?*

Où puis-je acheter/ trouver...?	**Dove posso comprare/trovare...?**	**doo**vé **pos**so komm**praa**ré/ tro**vaa**ré
Où se trouve le quartier commerçant?	**Dov'è la zona principale dei negozi?**	do**vé** la **dzoo**na prinn-tchi**paa**lé déy né**goo**tsi
Y a-t-il un grand magasin ici?	**C'è un grande magazzino qui?**	tché oun **grann**dé magad**dzii**no koui
Comment puis-je m'y rendre?	**Come ci si può arrivare?**	**koo**mé tchi si pouo arri**vaa**ré

Service *Servizio*

Pouvez-vous m'aider?	**Può aiutarmi?**	pouo ayou**taar**mi
Je cherche...	**Cerco...**	**tchér**ko
Je ne fais que regarder.	**Dò soltanto un'occhiata.**	do sol**tann**to ounok**kyaa**ta
Avez-vous/Vendez-vous...?	**Ha/Vende...?**	a/**vén**dé
Je voudrais...	**Vorrei...**	vor**réy**
Pouvez-vous me montrer...?	**Mi può mostrare...?**	mi pouo mos**traa**ré
celui-ci/celui-là celui qui est dans la vitrine	**questo/quello** **quello in vetrina**	**koués**to/**kouél**lo **kouél**lo inn vé**trii**na

Description de l'article *Descrizione dell'articolo*

Ce doit être...	**Dovrebbe essere...**	do**vréb**bé **és**séré
élégant/classique léger/chaud long/court moderne/original ovale/rectangulaire rond/carré	**elegante/classico** **leggero/caldo** **lungo/corto** **moderno/originale** **ovale/rettangolare** **rotondo/quadrato**	élé**gann**té/**klas**siko léd**djéé**ro/**kal**do **loun**go/**kor**to mo**dér**no/oridji**naa**lé o**vaa**lé/réttanngo**laa**ré ro**tonn**do/koua**draa**to
Je ne veux pas quelque chose de trop cher.	**Non voglio qualcosa di troppo caro.**	nonn **voo**lyo koual**koo**za di **trop**po **kaa**ro

POUR DEMANDER SON CHEMIN, voir page 76

Préférence *Preferisco...*

Pouvez-vous me montrer autre chose?	**Mi può mostrare qualcos'altro?**	mi pouo mo**straa**ré koualko**zal**tro
N'avez-vous rien de...?	**Non ha qualcosa di...?**	nonn a koual**koo**za di
meilleur marché mieux plus grand/petit	**meno caro meglio più grande/piccolo**	**méé**no **kaa**ro **mé**lyo pyou **grann**dé/**pik**kolo
C'est trop...	**È troppo...**	é **trop**po
grand/petit clair/foncé large/étroit long/court	**grande/piccolo chiaro/scuro largo/stretto lungo/corto**	**grann**dé/**pik**kolo **kyaa**ro/**skoû**ro **lar**go/**strét**to **loun**go/**kor**to

Combien? *Quanto?*

Combien coûte ceci?	**Quant'è?**	kouann**té**
Je ne comprends pas.	**Non capisco.**	nonn ka**pis**ko
Pouvez-vous l'écrire?	**Per favore, me lo scriva.**	pér fa**voo**ré mé lo **skrii**va
Je ne veux pas dépenser plus de... lires.	**Non voglio spendere più di... lire.**	nonn **voo**lyo **spén**déré pyou di... **lii**ré

Décision *Decisione*

Je prends celui-ci.	**Prendo questo.**	**prén**do **koués**to
Non, cela ne me plaît pas.	**No, non mi piace.**	no nonn mi **pyaa**tché
Ce n'est pas tout à fait ce que je veux.	**Non è esattamente quello che cerco.**	nonn é ézatta**mén**té **kouél**lo ké **tchér**ko
La couleur/forme ne me plaît pas.	**Non mi piace questo colore/questa forma.**	nonn mi **pyaa**tché **koué**sto ko**loo**ré/**koués**ta **for**ma

Autre chose? *Qualcos'altro?*

Non merci, ce sera tout.	**No grazie. È tutto.**	no **graa**tsyé. é **tout**to
Oui, je voudrais...	**Sì, vorrei...**	si vor**réy**

COULEURS, voir page 113/CHIFFRES, page 148

Commande *Ordinazione*

Pouvez-vous me le commander?	**Può ordinarmelo?**	pouo ordi**naar**mélo
Combien de temps cela prendra-t-il?	**Quanto tempo ci vorrà?**	**kouann**to **tém**po tchi vor**ra**
Je le voudrais dès que possible.	**Lo vorrei al più presto possibile.**	lo vor**réy** al pyou **prés**to pos**sii**bilé

Livraison *Consegna*

Je l'emporte.	**Lo porto via.**	lo **por**to **vii**a
Faites-le livrer à l'hôtel..., s.v.p.	**Lo consegni all'Albergo...**	lo konn**sé**gni allal**bér**go
Envoyez-le à cette adresse, s.v.p.	**Per favore, lo mandi a questo indirizzo.**	pér fa**voo**ré lo **mann**di a **koués**to inndi**rit**tso
Aurai-je des difficultés à la douane?	**Avrò delle difficoltà alla dogana?**	a**vro dél**lé diffikol**ta al**la do**gaa**na

Paiement *Pagamento*

Combien est-ce?	**Quant'è?**	kouann**té**
Puis-je payer avec...?	**Posso pagare con...?**	**pos**so pa**gaa**ré konn
carte de crédit chèque de voyage eurochèques	**la carta di credito traveller's cheque eurocheques**	la **kar**ta di **kréé**dito «traveller's cheque» «eurocheques»
Acceptez-vous l'argent étranger?	**Accetta del denaro straniero?**	at**tchét**ta dél dé**naa**ro stra**nyéé**ro
Pouvez-vous déduire la T.V.A.*?	**Può dedurre l'I.V.A.?**	pouo dé**dour**ré **lii**va
Je crois qu'il y a une erreur.	**Penso che ci sia un errore.**	**pén**so ké tchi **sii**a oun ér**roo**ré
Pouvez-vous me donner une quittance?	**Può darmi una ricevuta?**	pouo **daar**mi **oû**na ritché**voû**ta
Pouvez-vous me l'emballer?	**Può incartarmelo?**	pouo innkar**taar**mélo
Puis-je avoir un sac, s.v.p.?	**Può darmi un sacchetto, per favore?**	pouo **daar**mi oun sak**két**to pér fa**voo**ré

*Les voyageurs étrangers effectuant des achats peuvent bénéficier de dérogations dans l'application de la T.V.A. Il faut se renseigner de cas en cas et avoir sur soi une pièce d'identité.

BANQUES – CHANGE, voir page 129

Posso aiutarla?	Puis-je vous aider?
Cosa desidera?	Que désirez-vous?
Mi dispiace, non ne abbiamo.	Je suis désolé(e), nous n'en avons pas.
L'abbiamo esaurito.	Nous ne l'avons pas en stock.
Dobbiamo ordinarglielo?	Faut-il vous le commander?
Qualcos'altro?	Autre chose?
Lo porta via o dobbiamo mandarglielo?	L'emportez-vous ou faut-il vous l'envoyer?
Sono ... lire, per favore.	Cela fait... lires, s.v.p.
La cassa è laggiù.	La caisse se trouve là-bas.

Mécontent? *Scontento?*

Pourriez-vous échanger ceci, s.v.p.?	**Può cambiare questo, per favore?**	pouo kamm**byaa**ré **koués**to pér fa**voo**ré
Je voudrais rendre ceci.	**Vorrei rendere questo.**	vor**réy rén**déré **kouès**to
Je voudrais être remboursé(e).	**Desidero essere rimborsato(a).**	dé**zii**déro **ès**séré rimmbor**saa**to(a)
Voici la quittance.	**Ecco la ricevuta.**	**èk**ko la ritché**voû**ta

Dans le grand magasin *Nel grande magazzino*

Où est le rayon ...?	**Dov'è il reparto ...?**	do**vé** il ré**par**to
A quel étage?	**A che piano?**	a ké **pyaa**no
Où est l'ascenseur/ l'escalier (mécanique)?	**Dov'è l'ascensore/ la scala (mobile)?**	do**vé** lachén**soo**ré/ la **skaa**la (**moo**bilé)
Où dois-je payer?	**Dove si paga?**	**doo**vé si **paa**ga

ENTRATA	ENTRÉE
USCITA	SORTIE
USCITA DI SICUREZZA	SORTIE DE SECOURS

Appareils électriques *Apparecchi elettrici*

Je voudrais une pile pour ceci.	**Vorrei una pila per questo.**	vor**réy** **oû**na **pii**la pér **koués**to
Ceci est cassé. Pouvez-vous le réparer?	**Questo è rotto. Può ripararlo?**	**koués**to é **rot**to. pouo ripa**raar**lo
Pouvez-vous me montrer comment cela fonctionne?	**Può mostrarmi come funziona?**	pouo mo**straar**mi **koo**mé foun**tsyoo**na
Je voudrais...	**Vorrei...**	vor**réy**
amplificateur	**un amplificatore**	oun ammplifika**too**ré
ampoule	**una lampadina**	**oû**na lammpa**dii**na
brosse à dents électrique	**uno spazzolino da denti elettrico**	**oû**no spattso**lii**no da **dén**ti é**lét**triko
calculatrice de poche	**una calcolatrice tascabile**	**oû**na kalkola**trii**tché ta**skaa**bilé
écouteurs	**una cuffia (d'ascolto)**	**oû**na **kouf**fya (da**skol**to)
fer à repasser (de voyage)	**un ferro da stiro (da viaggio)**	oun **fér**ro da **stii**ro (da **vyad**djo)
fiche	**una spina**	**oû**na **spii**na
fusible	**un fusibile**	oun fou**zii**bilé
haut-parleurs	**un altoparlante**	oun altopar**lann**té
lampe	**una lampada**	**oû**na **lamm**pada
lampe de poche	**una lampadina tascabile**	**oû**na lammpa**dii**na ta**skaa**bilé
machine à café	**una macchina per fare il caffè**	**oû**na **mak**kina pér **faa**ré il kaf**fé**
magnétophone à cassettes	**un registratore a cassette**	oun rédjistra**too**ré a kas**sét**té
magnétoscope	**un video registratore**	oun **vii**déo rédjistra**too**ré
pile	**una pila**	**oû**na **pii**la
prise raccordement	**una spina riduttrice**	**oû**na **spii**na ridout**trii**tché
radio	**una radio**	**oû**na **raa**dyo
autoradio	**un'autoradio**	ounaouto**raa**dyo
radio-réveil	**una radio sveglia**	**oû**na **raa**dyo **své**lya
rallonge électrique	**una prolunga**	**oû**na pro**loun**ga
rasoir électrique	**un rasoio elettrico**	oun ra**zoo**yo é**lét**triko
réveil	**una sveglia**	**oû**na **své**lya
sèche-cheveux	**un asciugacapelli**	oun achougaka**pél**li
téléviseur	**un televisore**	oun télévi**zoo**ré
couleurs	**a colori**	a ko**loo**ri
portatif	**portatile**	por**taa**tilé
thermoplongeur	**uno scalda acqua**	**oû**no **skal**da **ak**koua
tourne-disque	**un giradischi**	oun djira**dis**ki
vidéocassette	**una video cassetta**	**oû**na **vii**déo kas**sét**ta

DISQUES ET CASSETTES, voir page 127

Bijouterie – Horlogerie *Gioielleria – Orologeria*

Pourrais-je voir ceci, s.v.p.?	**Potrei vedere questo, per favore?**	po**tréy** vé**déé**ré **koués**to pér fa**voo**ré
Je voudrais un bijou en or/argent.	**Vorrei un gioiello d'oro/d'argento.**	vor**réy** oun djo**yél**lo **doo**ro/dar**djén**to
Combien de carats pèse-t-il?	**Di quanti carati è?**	di **kouann**ti ka**raa**ti é
Est-ce de l'argent véritable?	**È vero argento?**	é **vée**ro ar**djén**to
Pouvez-vous réparer cette montre?	**Può riparare questo orologio?**	pouo ripa**raa**ré **koués**to oro**loo**djo
Elle avance/retarde.	**Va avanti/indietro.**	va a**vann**ti/inn**djé**tro
La pile est à plat.	**La pila è scarica.**	la **pii**la é **skaa**rika
Je voudrais...	**Vorrei...**	vor**réy**
alliance	**una fede nuziale**	**oû**na **féé**dé nou**tsyaa**lé
argenterie	**dell'argenteria**	déllardjénté**rii**a
bague	**un anello**	oun a**nél**lo
de fiançailles	**di fidanzamento**	di fidanntsa**mén**to
boucles d'oreilles	**degli orecchini**	**déé**lyi orék**kii**ni
boutons de manchettes	**dei gemelli**	déy djé**mél**li
bracelet	**un braccialetto**	oun brattcha**lét**to
de montre	**un cinturino per orologio**	oun tchinntou**rii**no pér oro**loo**djo
breloque	**un braccialetto portafortuna**	oun brattcha**lét**to portafor**toû**na
briquet	**un accendino**	oun attchén**dii**no
broche	**una spilla**	**oû**na **spil**la
camée	**un cammeo**	oun kam**méo**
chaîne/chaînette	**una catenina**	**oû**na katé**nii**na
chapelet	**un rosario**	oun ro**zaa**ryo
chevalière	**un anello con stemma**	oun a**nél**lo konn **stém**ma
clips d'oreilles	**degli orecchini a clip**	**déé**lyi orék**kii**ni a klip
coffret à bijoux	**un portagioielli**	oun portadjo**yél**li
collier	**una collana**	**oû**na kol**laa**na
de perles	**di perle**	di **pér**lé
couverts	**delle posate**	**dél**lé po**zaa**té
croix	**una croce**	**oû**na **kroo**tché
épingle à cravate	**uno spillo per cravatta**	**oû**no **spil**lo pér kra**vat**ta

gourmette	**un braccialetto a catena**	oun brattcha**létt**o a ka**téé**na
horloge	**un orologio**	oun oro**loo**djo
montre	**un orologio**	oun oro**loo**djo
-bracelet	**da polso**	da **pol**so
digitale	**digitale**	didji**taa**lé
à quartz	**al quarzo**	al **kouar**tso
avec chronomètre	**con cronometro**	konn kro**noo**métro
avec trotteuse	**con lancetta dei secondi**	konn lann**tchét**ta déy sé**konn**di
pendentif	**un pendente**	oun pén**dén**té
pendule	**un pendolo**	oun **pén**dolo
pierre précieuse	**una pietra preziosa**	**oû**na **pyé**tra pré**tsyoo**za
pince à cravate	**un fermacravatte**	oun férmakra**vat**té
réveil	**una sveglia**	**oû**na **své**lya
de voyage	**da viaggio**	da **vyad**djo
En quelle matière est-ce?	**Di che materia è?**	di ké ma**téé**rya é
Quelle pierre est-ce?	**Che pietra è?**	ké **pyé**tra é

albâtre	**l'alabastro**	lala**bas**tro
ambre	**l'ambra**	**lamm**bra
améthyste	**l'ametista**	lamé**tis**ta
argent	**l'argento**	lar**djén**to
argenté	**argentato**	ardjén**taa**to
corail	**il corallo**	il ko**ral**lo
cristal	**il cristallo**	il kris**tal**lo
cristal taillé	**il vetro tagliato**	il **vé**tro ta**lyaa**to
cuivre	**il rame**	il **raa**mé
diamant	**il diamante**	il dya**mann**té
émail	**lo smalto**	lo **smal**to
émeraude	**lo smeraldo**	lo zmé**ral**do
étain	**il peltro**	il **pél**tro
ivoire	**l'avorio**	la**voo**ryo
jade	**la giada**	la **djaa**da
nacre	**la madreperla**	la madré**pér**la
onyx	**l'onice**	**loo**nitché
or	**l'oro**	**loo**ro
plaqué or	**placcato d'oro**	plak**kaa**to **doo**ro
platine	**il platino**	il **plaa**tino
rubis	**il rubino**	il rou**bii**no
saphir	**lo zaffiro**	lo dzaf**fii**ro
topaze	**il topazio**	il to**paa**tsyo
turquoise	**il turchese**	il tour**kéé**zé

Bureau de tabac *Tabaccheria*

L'Etat italien détient le monopole des tabacs et des allumettes, qui ne sont vendus que dans des débits — dont l'enseigne figure un grand «T» blanc sur fond noir. Les bureaux de tabac vendent aussi des cartes postales, des timbres et différents articles de confiserie.

Un paquet de cigarettes, s.v.p.	**Un pacchetto di sigarette, per favore.**	oun pak**két**to di siga**rét**té pér fa**voo**ré
avec filtre	**con filtro**	konn **fil**tro
sans filtre	**senza filtro**	**sén**tsa **fil**tro
mentholées	**al mentolo**	al mén**too**lo
long format	**formato lungo**	for**maa**to **loun**go
Est-ce du tabac fort/léger?	**È tabacco forte/ leggero?**	é ta**bak**ko **for**té/ léd**djéé**ro
Avez-vous des cigarettes françaises?	**Avete sigarette francesi?**	a**véé**té siga**rét**té frann**tchéé**zi
J'en voudrais une cartouche.	**Ne vorrei una stecca.**	né vor**réy oû**na **sték**ka
Donnez-moi... s,v.p.	**Per favore, mi dia...**	pér fa**voo**ré mi **dii**a
allumettes	**dei fiammiferi**	déy fyam**mii**féri
bonbons	**delle caramelle**	**dél**lé kara**mél**lé
briquet	**un accendino**	oun attchén**dii**no
essence à briquet/ gaz pour briquet	**della benzina/ del gas per accendino**	**dél**la bén**dzii**na/ dél gaz pér attchén**dii**no
carte postale	**una cartolina**	**oû**na karto**lii**na
chewing-gum	**della gomma da masticare**	**dél**la **gom**ma da masti**kaa**ré
chocolat	**del cioccolato**	dél tchokko**laa**to
cigares	**dei sigari**	déy **sii**gari
cigarettes	**delle sigarette**	**dél**lé siga**rét**té
étui à cigarettes	**un portasigarette**	oun portasiga**rét**té
fume-cigarette	**un bocchino**	oun bok**kii**no
pipe	**una pipa**	**oû**na **pii**pa
cure-pipe	**un curapipe**	oun koura**pii**pé
nettoie-pipe	**dei nettapipe**	déy nétta**pii**pé
tabac	**del tabacco**	dél ta**bak**ko
pour pipe	**da pipa**	da **pii**pa
à chiquer	**da masticare**	da masti**kaa**ré
à priser	**da fiuto**	da **fyoû**to
timbres-poste	**dei francobolli**	déy frannko**bol**li

Matériel de camping *Materiale da campeggio*

Je voudrais...	**Vorrei...**	vor**réy**
alcool à brûler	**dell'alcol metilico**	dél**lal**kol mé**tii**liko
attirail de pêche	**degli arnesi da pesca**	**déé**lyi ar**néé**zi da **pés**ka
boîte à provisions	**un contenitore per il cibo**	oun konnténi**too**ré pér il **tchii**bo
bougies	**delle candele**	**dél**lé kann**déé**lé
boussole	**una bussola**	**oû**na **bous**sola
cadenas	**un lucchetto**	oun louk**két**to
canif	**un temperino**	oun témpé**rii**no
casserole	**una casseruola**	**oû**na kassé**rouoo**la
chaise (pliante)	**una sedia (pieghevole)**	**oû**na **séé**dya (pyé**ghéé**volé)
chaise longue	**uno sdraio**	**oû**no **zdraa**yo
charbon de bois	**del carbone di legna**	dél kar**boo**né di **lé**gna
ciseaux	**delle forbici**	**dél**lé **for**bitchi
clous	**dei chiodi**	déy **kyoo**di
corde	**della corda**	**dél**la **kor**da
couverts	**delle posate**	**dél**lé po**zaa**té
élément réfrigérant	**un elemento refrigerante**	oun élé**mén**to réfridjé**rann**té
ficelle	**dello spago**	**dél**lo **spaa**go
gaz butane	**del gas butano**	dél gaz bou**taa**no
glacière	**una borsa termica**	**oû**na **bor**sa **tér**mika
gonfleur	**una pompa**	**oû**na **pomm**pa
gourde	**una borraccia**	**oû**na bor**rat**tcha
gril	**una griglia**	**oû**na **gri**lya
hamac	**un'amaca**	oun**aa**maka
jerricane	**un bidone per l'acqua**	oun bi**doo**né pér **lak**koua
lampe	**una lampada**	**oû**na **lamm**pada
lampe de poche	**una lampadina tascabile**	**oû**na lammpa**dii**na ta**skaa**bilé
lessive	**del detersivo**	dél détér**sii**vo
lit de camp	**un letto da campeggio**	oun **lét**to da kamm**péd**djo
maillet	**una mazza**	**oû**na **mat**tsa
mallette à pique-nique	**un cestino da picnic**	oun tché**stii**no da pik**nik**
marteau	**un martello**	oun mar**tél**lo
mât de tente	**un palo da tenda**	oun **paa**lo da **tén**da
matelas	**un materasso**	oun maté**ras**so
pneumatique	**un materassino (pneumatico)**	oun matéras**sii**no (pnéou**maa**tiko)
moustiquaire	**una zanzariera**	**oû**na dzanndza**ryéé**ra
ouvre-boîtes	**un apriscatole**	oun apri**skaa**tolé

ouvre-bouteilles	**un apribottiglia**	oun apribot**tii**lya
papier aluminium	**un foglio di alluminio**	oun **foo**lyo di allou**mii**nyo
panier	**un cestino**	oun tché**stii**no
pétrole	**del petrolio**	dél pé**troo**lyo
pinces à linge	**delle mollette da bucato**	**dél**lé mol**lét**té da bou**kaa**to
piquets de tente (sardines)	**dei picchetti per tenda**	déy pik**két**ti pér **tén**da
poêle à frire	**una padella**	**oû**na pa**dél**la
produit à vaisselle	**del detersivo (per stoviglie)**	dél détér**sii**vo (pér sto**vii**lyé)
réchaud à gaz	**un fornello a gas**	oun for**nél**lo a gaz
sac de couchage	**un sacco a pelo**	oun **sak**ko a **pée**lo
sac à dos	**un sacco da montagna**	oun **sak**ko da monn**ta**gna
sacs en plastique	**dei sacchetti di plastica**	déy sak**két**ti di **plas**tika
seau	**un secchio**	oun **sék**kyo
table (pliante)	**un tavolo (pieghevole)**	oun **taa**volo (pyé**ghée**volé)
tapis de sol	**un telo per il terreno**	oun **tée**lo pér il tér**rée**no
tenailles	**delle tenaglie**	**dél**lé té**naa**lyé
tente	**una tenda**	**oû**na **tén**da
thermos	**un termos**	oun **tér**mos
tire-bouchon	**un cavatappi**	oun kava**tap**pi
tournevis	**un cacciavite**	oun kattcha**vii**té
trousse à outils	**una cassetta degli attrezzi**	**oû**na kas**sét**ta **dée**lyi at**trét**tsi
trousse de premiers secours	**una cassetta del pronto soccorso**	**oû**na kas**sét**ta dél **pronn**to sok**kor**so
vaisselle	**delle stoviglie**	**dél**lé sto**vii**lyé

couteaux	**dei coltelli**	déy kol**tél**li
cuillères	**dei cucchiai**	déy kouk**kyaa**i
cuillères à café	**dei cucchiaini**	déy koukkya**ii**ni
fourchettes	**delle forchette**	**dél**lé for**két**té
assiettes	**dei piatti**	déy **pyat**ti
gobelets	**dei bicchieri**	déy bi**kyéé**ri
soucoupes	**dei piattini**	déy pyat**tii**ni
tasses	**delle tazze**	**dél**lé **tat**tsé
en acier inoxydable/plastique	**di acciaio inossidabile/plastica**	di at**tchaa**yo inossi**daa**bilé/**plas**tika

Habillement *Abbigliamento*

Si vous désirez acheter quelque chose de précis, mieux vaut préparer votre achat en consultant la liste des vêtements page 114. Réfléchissez à la taille, à la couleur, au tissu que vous désirez. Puis reportez-vous aux pages suivantes.

Généralités *Generalità*

Où y a-t-il un bon magasin de vêtements pour...?	**Dov'è un buon negozio di abbigliamento...?**	do**vé** oun bouonn né**goo**tsyo di abbilya**mén**to
dames	**da donna**	da **don**na
enfants	**da bambino**	da bamm**bii**no
messieurs	**da uomo**	da **ouoo**mo
Je voudrais un pullover pour un/une...	**Vorrei un pullover per...**	vor**réy** oun poull**oo**vér pér
femme/homme	**una donna/un uomo**	**oû**na **don**na/oun **ouoo**mo
garçon/fille (de 8 ans)	**un bambino/una bambina (di 8 anni)**	oun bamm**bii**no/**oû**na bamm**bii**na (di 8 **an**ni)
Celui qui est dans la vitrine me plaît.	**Mi piace quello in vetrina.**	mi **pyaa**tché **kouél**lo inn vé**trii**na
Je voudrais quelque chose comme ceci.	**Vorrei qualcosa come questo.**	vor**réy** koual**koo**za **koo**mé **koués**to

Taille *Taglia*

Je porte du 38.	**La mia taglia è il 38.**	la **mii**a **taa**lya é il 38
Je ne connais pas les tailles italiennes.	**Non conosco le taglie italiane.**	nonn ko**nos**ko lé **taa**lyé ita**lyaa**né
Pourriez-vous prendre mes mesures?	**Può prendermi le misure?**	pouo **prén**dérmi lé mi**zoû**ré

petit	**piccolo**	**pik**kolo
moyen	**medio**	**méé**dyo
(extra) grand	**(extra) largo**	(**ex**tra) **lar**go
plus grand/ plus petit	**più grande/più piccolo**	pyou **grann**dé/ pyou **pik**kolo

CHIFFRES, voir page 148

Couleurs *Colori*

Je voudrais quelque chose de rouge.	**Vorrei qualcosa di colore rosso.**	vor**réy** koual**koo**za di ko**loo**ré **ro**sso
Je voudrais un ton plus clair/plus foncé.	**Vorrei una tonalità più chiara/più scura.**	vor**réy** **oû**na tonali**ta** pyou **kyaa**ra/pyou **skoû**ra
Je n'aime pas cette couleur.	**Non mi piace questo colore.**	nonn mi **pyaa**tché **koués**to ko**loo**ré
Je voudrais quelque chose d'assorti à cela.	**Vorrei qualcosa che s'intoni con questo.**	vor**réy** koual**koo**za ké sinn**too**ni konn **koués**to
Je voudrais une autre couleur/la même couleur que...	**Vorrei un altro colore/lo stesso colore che...**	vor**réy** oun **al**tro ko**loo**ré/lo **stés**so ko**loo**ré ké

beige	**beige**	«beige»
blanc	**bianco**	**byann**ko
bleu	**blu**	blou
ciel	**azzurro**	ad**dzou**rro
brun	**marrone**	mar**roo**né
crème	**crema**	**kréé**ma
écarlate	**scarlatto**	skar**la**tto
fauve	**rossiccio**	ros**sit**tcho
gris	**grigio**	**grii**djo
jaune	**giallo**	**djal**lo
mauve	**lilla**	**lil**la
noir	**nero**	**néé**ro
orange	**arancio**	a**rann**tcho
rose	**rosa**	**roo**za
rouge	**rosso**	**ros**so
turquoise	**turchese**	tour**kéé**zé
vert	**verde**	**vér**dé
violet	**viola**	**vyoo**la
...clair	**...chiaro**	...**kyaa**ro
...foncé	**...scuro**	...**skoû**ro

tinta unita (**tinn**ta ou**nii**ta)

righe (**rii**ghé)

pallini (pal**lii**ni)

quadri (**koua**dri)

fantasia (fannta**zii**a)

Tissus *Tessuto*

Quel genre de tissu est-ce?	**Che tessuto è?**	ké téssoûto é
Je voudrais quelque chose en...	**Vorrei qualcosa in...**	vorréy koualkooza inn

batiste	**batista**	batista
coton	**cotone**	kotooné
crêpe	**crespo**	kréspo
cuir	**pelle**	péllé
daim	**renna**	rénna
dentelle	**merletto**	mérlétto
feutre	**feltro**	féltro
flanelle	**flanella**	flanélla
gabardine	**gabardine**	«gabardine»
laine	**lana**	laana
lin	**lino**	liino
matelassé	**trapuntato**	trapountaato
piqué	**picchè**	piké
poil de chameau	**pelo di cammello**	péélo di kammèllo
popeline	**popeline**	«popeline»
satin	**raso**	raazo
serge	**saia**	saaya
soie	**seta**	sééta
tissu-éponge	**tessuto a spugna**	téssoûto a spougna
toile de jeans	**tessuto jeans**	téssoûto «jeans»
tweed	**tweed**	«tweed»
velours	**velluto**	vélloûto
côtelé	**a coste**	a kosté
de coton	**di cotone**	di kotooné

Je voudrais quelque chose de plus mince/ plus épais.	**Vorrei qualcosa di più leggero/ più pesante.**	vorréy koualkooza di pyou léddjééro/ pyou pézannté
Avez-vous quelque chose de meilleure qualité?	**Ha una qualità migliore?**	a oûna koualita milyooré
Est-ce...?	**È...?**	é
pur coton	**puro cotone**	poûro kotooné
pure laine	**pura lana**	poûra laana
synthétique	**sintetico**	sinntéétiko
Est-ce fabriqué ici/ importé?	**È un prodotto italiano/importato?**	é oun prodotto itaIyaano/immportaato

Est-ce fait main?	**È fatto a mano?**	é **fat**to a **maa**no
Peut-on le laver (à la machine)?	**Si può lavare (in lavatrice)?**	si pouo la**vaa**ré (inn lava**trii**tché)
Est-ce que cela rétrécit au lavage?	**Si restringe al lavaggio?**	si ré**strinn**djé al la**vad**djo
Est-ce...?	**È...?**	é
d'entretien facile	**di facile cura**	di **faa**tchilé **koû**ra
grand teint	**di colore solido**	di ko**loo**ré **soo**lido
infroissable	**ingualcibile**	inngoual**tchii**bilé

Puisque nous parlons de tissus:

Je voudrais 2 mètres de ce tissu.	**Vorrei 2 metri di questa stoffa.**	vor**réy** 2 **mé**tri di **koués**ta **stof**fa
Quel est le prix du mètre?	**Quanto costa al metro?**	**kouann**to **kos**ta al **mé**tro

1 centimètre	**un centimetro**	oun tchén**tii**métro
1 mètre	**un metro**	oun **mé**tro
3,20 mètres	**3,20 metri**	3 **mé**tri é 20

Un bon essayage *Una buona prova*

Puis-je l'essayer?	**Posso provarlo?**	**pos**so pro**vaar**lo
Où est la cabine d'essayage?	**Dov'è la cabina di prova?**	do**vé** la ka**bii**na di **proo**va
Y a-t-il un miroir?	**C'è uno specchio?**	tché **oû**no **spék**kyo
Cela va très bien.	**Va molto bene.**	va **mol**to **béé**né
Cela ne me va pas.	**Non va bene.**	nonn va **béé**né
C'est trop...	**È troppo...**	é **trop**po
court/long	**corto/lungo**	**kor**to/**loun**go
étroit/large	**stretto/largo**	**strét**to/**lar**go
Pouvez-vous le retoucher?	**Può modificarlo?**	pouo modifi**kaar**lo
Combien de temps faut-il compter pour la retouche?	**Quanto tempo ci vuole per le modifiche?**	**kouann**to **tém**po tchi **vouoo**lé pér lé mo**dii**fiké
Je le voudrais aussi vite que possible.	**Lo vorrei al più presto possibile.**	lo vor**réy** al pyou **prés**to pos**sii**bilé

CHIFFRES, voir page 148

Vêtements... *Indumenti...*

bas	**delle calze da donna**	**dél**lé **kal**tsé da **don**na
bikini	**un bikini**	oun bi**kii**ni
blouse	**una blusa**	**oû**na **blou**za
cardigan	**un golf**	oun golf
chandail	**un maglione**	oun ma**lyoo**né
chaussettes	**dei calzini**	déy kal**tsii**ni
chemise	**una camicia**	**oû**na ka**mii**tcha
chemise de nuit	**una camicia da notte**	**oû**na ka**mii**tcha da **not**té
collants	**dei collant**	déy kol**lannt**
complet	**un completo da uomo**	oun komm**plé**éto da **ouo**omo
costume	**un tailleur**	oun «tailleur»
costume de bain	**un costume da bagno**	oun ko**stoû**mé da **ba**gno
culotte	**delle mutande**	**dél**lé mou**tann**dé
gaine	**una guaina/un busto**	**oû**na gouai**i**na/oun **bous**to
gilet	**un gilè**	oun dji**lé**
gilet en tricot	**un golf**	oun golf
imperméable	**un impermeabile**	oun immpérmé**aa**bilé
jaquette	**una giacca**	**oû**na **djak**ka
jeans	**dei jeans**	déy «jeans»
jupe	**una gonna**	**oû**na **gon**na
avec poches	**con tasche**	konn **tas**ké
jupon	**una sottogonna**	**oû**na sotto**gon**na
maillot de bain	**un costume da bagno**	oun ko**stoû**mé da **ba**gno
maillot de corps	**una canottiera**	**oû**na kanot**tyéé**ra
manteau	**un cappotto**	oun kap**pot**to
de fourrure	**una pelliccia**	**oû**na pél**lit**tcha
de pluie	**un impermeabile**	oun immpérmé**aa**bilé
pantalon	**dei pantaloni**	déy pannta**loo**ni
peignoir	**una vestaglia**	**oû**na vé**staa**lya
de bain	**un accappatoio**	oun akkappa**too**yo
porte-jarretelles	**un reggicalze**	oun réddji**kal**tsé
pull(over)	**un pullover**	oun poul**loo**vér
à manches courtes/longues	**con maniche corte/lunghe**	konn **maa**niké **kor**té/**loun**ghé
à col roulé	**a collo alto**	a **kol**lo **al**to
à encolure ronde	**a girocollo**	a djiro**kol**lo
à encolure en V	**con scollatura a punta**	konn skolla**toû**ra a **poun**ta
pyjama	**un pigiama**	oun pi**djaa**ma
robe (du soir)	**un abito (da sera)**	oun **aa**bito (da **séé**ra)
robe de chambre	**una vestaglia**	**oû**na vé**staa**lya
salopettes	**una tuta**	**oû**na **toû**ta

shorts	**dei calzoncini corti**	déy kaltsonn**tchii**ni **kor**ti
slip	**uno slip/delle mutande**	**oû**no slip/**dél**lé mou**tann**dé
sous-vêtements	**della biancheria intima**	**dél**la byannké**rii**a **inn**tima
soutien-gorge	**un reggiseno**	oun réddji**séé**no
survêtement	**una tuta sportiva**	**oû**na **toû**ta spor**tii**va
tablier	**un grembiule**	oun grém**byoû**lé
T-shirt	**una maglietta di cotone**	**oû**na ma**lyét**ta di ko**too**né
veste (de sport)	**una giacca (sportiva)**	**oû**na **djak**ka (spor**tii**va)
veston	**una giacca**	**oû**na **djak**ka
vêtements d'enfants	**dei vestiti per bambini**	déy vé**stii**ti pér bamm**bii**ni

... et accessoires ... *e accessori*

bretelles	**delle bretelle**	**dél**lé bré**tél**lé
casquette	**un berretto**	oun bér**rét**to
châle	**uno scialle**	**oû**no **chal**lé
chapeau	**un cappello**	oun kap**pél**lo
ceinture	**una cintura**	**oû**na tchinn**toû**ra
cravate	**una cravatta**	**oû**na kra**vat**ta
écharpe	**una sciarpa**	**oû**na **char**pa
foulard	**un foulard**	oun «foulard»
gants	**dei guanti**	déy **gouann**ti
mouchoir	**un fazzoletto**	oun fattso**lét**to
nœud papillon	**una cravatta a farfalla**	**oû**na kra**vat**ta a far**fal**la
parapluie	**un ombrello**	oun omm**brél**lo
porte-monnaie	**un portamonete**	oun portamo**néé**té
sac à main	**una borsetta**	**oû**na bor**sét**ta
bonnet de bain	**una cuffia da bagno**	**oû**na **kouf**fya da **ba**gno

Petit nécessaire de couture *Per il cucito*

aiguille	**un ago**	oun **aa**go
boucle	**una fibbia**	**oû**na **fib**bya
bouton	**un bottone**	oun bot**too**né
-pression	**a pressione**	a préss**syoo**né
dé à coudre	**un ditale**	oun di**taa**lé
élastique	**dell'elastico**	déllé**las**tiko
épingles	**degli spilli**	**déé**lyi **spil**li
de sûreté	**di sicurezza**	di sikou**rét**tsa
fermeture éclair	**una cerniera**	**oû**na tchér**nyé**ra
fil	**del filo**	dél **fii**lo

Chaussures *Scarpe*

Je voudrais une paire de...	**Vorrei un paio di...**	vor**réy** oun **paa**yo di
bottes	**stivali**	sti**vaa**li
en caoutchouc	**di gomma**	di **gom**ma
en cuir	**di pelle**	di **pél**lé
chaussures	**scarpe**	**skar**pé
plates	**basse**	**bas**sé
à talons (hauts)	**con tacco (alto)**	konn **tak**ko (**al**to)
de gymnastique	**da ginnastica**	da djinn**nas**tika
de marche	**da passeggio**	da pas**séd**djo
de montagne	**da montagna**	da monn**ta**gna
de tennis	**da tennis**	da **tén**nis
pantoufles	**pantofole**	pann**too**folé
sandales	**sandali**	**sann**dali
Je voudrais des chaussures en...	**Vorrei delle scarpe di...**	vor**réy dél**lé **skar**pé di
cuir/daim/toile	**pelle/camoscio/tela**	**pél**lé/ka**mo**cho/**téé**la
Est-ce du cuir véritable?	**È vera pelle?**	é **vée**ra **pél**lé
Elles sont trop...	**Sono troppo...**	**soo**no **trop**po
étroites/larges	**strette/larghe**	**strét**té/**lar**ghé
grandes/petites	**grandi/piccole**	**grann**di/**pik**kolé
Avez-vous une pointure plus grande/petite?	**Ha un numero più grande/più piccolo?**	a oun **noû**méro pyou **grann**de/pyou **pik**kolo
Avez-vous les mêmes dans une autre couleur?	**Ha le stesse in un altro colore?**	a lé **stés**sé inn oun **al**tro ko**loo**ré
J'ai besoin de crème à chaussures/lacets.	**Vorrei del lucido/dei lacci.**	vor**réy** dél **loû**tchido/déy **lat**tchi

Réparation de chaussures *Riparazione*

Pouvez-vous réparer ces chaussures?	**Può riparare queste scarpe?**	pouo ripa**raa**ré **koués**té **skar**pé
Je voudrais un ressemelage complet.	**Desidero suole e tacchi nuovi.**	dé**zii**déro **souoo**lé é **tak**ki **nouoo**vi
Quand seront-elles prêtes?	**Quando saranno pronte?**	**kouann**do sa**ran**no **pronn**té

Librairie – Papeterie *Libreria – Cartoleria*

Où est le/la ... le/la plus proche?	**Dov'è ... più vicina?**	do**vé** ... pyou vi**tchii**na
kiosque à journaux librairie papeterie	**l'edicola** **la libreria** **la cartoleria**	lé**dii**kola la libré**rii**a la kartolé**rii**a
Où puis-je acheter un journal belge/français/suisse?	**Dove posso comprare un giornale belga/francese/svizzero?**	**doo**vé **pos**so komm**praa**ré oun djor**naa**lé **bél**ga/frann**tchéé**zé/**svit**tzéro
Avez-vous des revues françaises?	**Ha delle riviste francesi?**	a **dél**lé ri**vis**té frann**tchéé**zi
Je voudrais un/une ...	**Vorrei ...**	vor**réy**
carte routière guide (de voyage) plan de ville	**una carta stradale** **una guida (turistica)** **una pianta della città**	**oû**na **kar**ta stra**daa**lé **oû**na **gouii**da tou**ris**tika **oû**na **pyann**ta **dél**la tchit**ta**

A la librairie:

Avez-vous des livres français?	**Ha dei libri in francese?**	a déy **li**bri inn frann**tchéé**zé
Avez-vous des livres d'occasion?	**Ha libri d'occasione?**	a **li**bri dokka**zyoo**né
Je voudrais un roman en italien (facile à lire).	**Vorrei un romanzo in italiano (di facile lettura).**	vor**réy** oun ro**mann**dzo inn ita**lyaa**no (di **faa**tchilé lét**toû**ra)
Je voudrais un ...	**Vorrei ...**	vor**réy**

dictionnaire
  italien-français
  de poche
livre
  d'enfants
  de grammaire
  d'images
  de poche
roman policier
	un dizionario
	  italiano-francese
	  tascabile
	un libro
	  per bambini
	  di grammatica
	  d'immagini
	  tascabile
	un romanzo giallo
		oun ditsyo**naa**ryo
		  ita**lyaa**no/frann**tchéé**zé
		  tas**kaa**bilé
		oun **li**bro
		  pér bamm**bii**ni
		  di gram**maa**tika
		  dim**maa**djini
		  tas**kaa**bilé
		oun ro**mann**dzo **djal**lo

A la papeterie:

Je voudrais ...	**Vorrei ...**	vor**réy**
agenda agrafes	**un'agenda** **dei fermagli**	ouna**djén**da déy fér**maa**lyi

bloc à dessins	**un blocco da disegno**	oun **blok**ko da di**zé**gno
bloc-notes	**un blocco per appunti**	oun **blok**ko pér ap**poun**ti
boîte de peinture	**una scatola di colori**	**oû**na **skaa**tola di ko**loo**ri
cahier	**un quaderno**	oun koua**dér**no
calendrier	**un calendario**	oun kalén**daa**ryo
calepin	**un taccuino**	oun tak**kouii**no
cartes à jouer	**delle carte da gioco**	**dél**lé **kar**té da **djoo**ko
carnet d'adresses	**un'agenda per gli indirizzi**	ouna**djén**da pér lyi inndi**ritt**si
carte postale	**una cartolina**	**oû**na karto**lii**na
carte de vœux	**un biglietto d'auguri**	oun bi**lyét**to daou**goû**ri
classeur	**un classificatore**	oun klassifika**too**ré
colle	**della colla**	déll**a** **kol**la
crayon	**una matita**	**oû**na ma**tii**ta
crayons de couleurs	**delle matite colorate**	**dél**lé ma**tii**té kolo**raa**té
encre	**dell'inchiostro**	déllinn**kyos**tro
enveloppes	**delle buste**	**dél**lé **bous**té
étiquettes (autocollantes)	**delle etichette (adesive)**	**dél**lé éti**két**té (adé**zii**vé)
ficelle	**dello spago**	**dél**lo **spaa**go
gomme	**una gomma**	**oû**na **gom**ma
papier	**della carta**	**dél**la **kar**ta
à dessin	**da disegno**	da di**zé**gno
à lettres	**da lettere**	da **lét**téré
cadeau	**per regali**	pér ré**gaa**li
carbone	**carbone**	kar**boo**né
d'emballage	**da pacchi**	da **pak**ki
pinceau	**un pennello**	oun pén**nél**lo
plume réservoir	**una penna stilografica**	**oû**na **pén**na stilo**graa**fika
punaises	**delle puntine**	**dél**lé poun**tii**né
recharge (stylo)	**una cartuccia**	**oû**na kar**toutt**cha
règle	**una riga**	**oû**na **rii**ga
ruban (pour machine à écrire)	**un nastro per macchina da scrivere**	oun **nas**tro pér **mak**kina da **skrii**véré
ruban adhésif	**un nastro adesivo**	oun **nas**tro adé**zii**vo
stylo	**una penna**	**oû**na **pén**na
à bille	**una biro**	**oû**na **bii**ro
feutre	**un pennarello**	oun pénna**rél**lo
mine	**un portamine**	oun porta**mii**né
taille-crayon	**un temperamatite**	oun témpérama**tii**té

Magasin d'alimentation *Negozio di alimentari*

Puis-je me servir?	**Posso servirmi?**	**pos**so sér**viir**mi
Je voudrais des biscottes, s.v.p.	**Vorrei delle fette biscottate, per favore.**	vor**réy dél**lé **fét**té biskot**taa**té pér fa**voo**ré
Quelle sorte de fromage avez-vous?	**Che formaggi avete?**	ké for**mad**dji a**vé**été
Avez-vous du pain?	**Ha del pane?**	a dél **paa**né
Donnez-moi ..., s.v.p.	**Mi dia ..., per favore.**	mi **dii**a... pér fa**voo**ré
celui-là	**quello**	**kouél**lo
celui sur l'étagère	**quello sullo scaffale**	**kouél**lo **soul**lo skaf**faa**lé
Je prendrai un de ceux-là, s.v.p.	**Prenderò uno di quelli, per favore.**	préndé**ro oû**no di **kouél**li pér fa**voo**ré

un kilo	**un chilo**	oun **kii**lo
un demi-kilo/ une livre	**mezzo chilo**	**méd**dzo **kii**lo
100 grammes	**un etto/ cento grammi**	oun **ét**to/ **tchén**to **gram**mi
un litre	**un litro**	oun **li**tro
un demi-litre	**mezzo litro**	**méd**dzo **li**tro

Je voudrais...	**Vorrei...**	vor**réy**
1 kilo de pommes	**un kilo di mele**	oun **kii**lo di **méé**lé
200 grammes de jambon	**due etti di prosciutto**	**doû**é **ét**ti di pro**chout**to
½ litre de lait (entier/écrémé)	**mezzo litro di latte (intero/scremato)**	**méd**dzo **li**tro di **lat**té (inn**téé**ro/skré**maa**to)
boîte de petits pois	**una scatola di piselli**	**oû**na **skaa**tola di pi**zél**li
bouteille de vin	**una bottiglia di vino**	**oû**na bot**tii**lya di **vii**no
corbeille d'abricots	**un cesto di albicocche**	oun **tchés**to di albi**kok**ké
paquet de thé (en sachets)	**un pacchetto di tè (in bustine)**	oun pak**két**to di té (inn bous**tii**né)
plaque de chocolat	**una tavoletta di cioccolato**	**oû**na tavo**lét**ta di tchokko**laa**to
pot de confiture	**un vasetto di marmellata**	oun va**zét**to di marmél**laa**ta
sachet de bonbons	**un sacchetto di caramelle**	oun sak**két**to di kara**mél**lé
tube de mayonnaise	**un tubetto di maionese**	oun tu**bét**to di mayo**néé**zé

PROVISIONS, voir également page 63

Opticien *Ottico*

Je voudrais…	**Vorrei…**	vor**réy**
étui à lunettes	**un astuccio per occhiali**	oun a**stout**tcho pér ok**kyaa**li
jumelles	**un binocolo**	oun bi**noo**kolo
loupe	**una lente d'ingrandimento**	**oû**na **lén**té dinngranndi**mén**to
lunettes	**degli occhiali**	**déé**lyi ok**kyaa**li
lunettes de soleil	**degli occhiali da sole**	**déé**lyi ok**kyaa**li da **soo**lé
verres de contact	**delle lenti a contatto**	**dél**lé **lén**ti a kon**tat**to
J'ai cassé mes lunettes.	**Ho rotto gli occhiali.**	o **rot**to lyi ok**kyaa**li
Pouvez-vous les réparer?	**Può ripararli?**	pouo ripa**raar**li
Quand seront-elles prêtes?	**Quando saranno pronti?**	**kouann**do sa**ran**no **pronn**ti
Pouvez-vous changer les verres?	**Può cambiare le lenti?**	pouo kamm**byaa**ré lé **lén**ti
Je voudrais des verres teintés.	**Desidero delle lenti colorate.**	dé**zii**déro **dél**lé **lén**ti kolo**raa**té
La monture est cassée.	**La montatura è rotta.**	la monnta**toû**ra é **rot**ta
Je voudrais faire contrôler ma vue.	**Vorrei farmi controllare la vista.**	vor**réy** **faar**mi konntrol**laa**ré la **vis**ta
Je suis myope/ presbyte.	**Sono miope/ presbite.**	**soo**no **mii**opé/ **prés**bité
J'ai perdu un verre de contact.	**Ho perso una lente a contatto.**	o **pér**so **oû**na **lén**té a konn**tat**to
Pouvez-vous m'en donner un autre?	**Può darmene un'altra?**	pouo **dar**méné ou**nal**tra
J'ai des verres de contact durs/ souples.	**Ho delle lenti dure/morbide.**	o **dél**lé **lén**ti **doû**ré/**mor**bidé
Avez-vous un liquide pour verres de contact?	**Ha del liquido per lenti a contatto?**	a dél **li**kouido pér **lén**ti a konn**tat**to
Puis-je me voir dans une glace?	**Posso guardarmi in uno specchio?**	**pos**so gouar**daar**mi inn **oû**no **spék**kyo

Pharmacie - Parfumerie *Farmacia - Profumeria*

En Italie, les pharmacies sont signalées par une croix verte ou rouge (éclairée la nuit). Leurs heures d'ouverture sont les mêmes que celles des autres commerces, mais dans chaque ville (ou quartier de grande ville) il y a une pharmacie de service. Les renseignements qui s'y rapportent sont affichés dans toutes les pharmacies et publiés dans la presse locale.

Les pharmacies vendent surtout des médicaments et des articles d'hygiène. Pour les cosmétiques et articles de toilette, il vaut mieux se rendre dans une parfumerie *(profumeria)*.

Pour vous permettre une lecture plus aisée, nous avons divisé ce chapitre en deux parties:

1. Pharmacie — Médicaments, premiers soins, etc.
2. Hygiène — Cosmétiques, etc.

Où est la pharmacie (de service) la plus proche?	**Dov'è la farmacia (di turno) più vicina?**	do**vé** la farma**tchii**a (di **tour**no) pyou vi**tchii**na
A quelle heure ouvre/ ferme la pharmacie?	**A che ora apre/ chiude la farmacia?**	a ké **oo**ra **a**pré/ **kyoû**dé la farma**tchii**a

1. Médicaments *Medicine*

Je voudrais quelque chose contre...	**Desidero qualcosa per...**	dé**zii**déro koual**koo**za pér
constipation	**la costipazione**	la kostipa**tsyoo**né
coup de soleil	**un colpo di sole**	oun **kol**po di **soo**lé
fièvre	**la febbre**	la **féb**bré
indigestion	**l'indigestione**	linndidjé**styoo**né
mal de tête	**il mal di testa**	il mal di **tés**ta
mal de voyage	**il mal d'auto**	il mal **da**outo
maux d'estomac	**il mal di stomaco**	il mal di **stoo**mako
nausée	**la nausea**	la **na**ouzéa
piqûres d'insectes	**le punture d'insetti**	lé poun**toû**ré dinn**sét**ti
rhume	**il raffreddore**	il raffréd**doo**ré
rhume des foins	**la febbre da fieno**	la **féb**bré da **fyéé**no
toux	**la tosse**	la **tos**sé
Avez-vous des remèdes homéopathiques?	**Ha delle medicine omeopatiche?**	a **dél**lé médi**tchii**né oméo**paa**tiké

Je voudrais…	**Vorrei…**	vor**réy**
analgésique	**un analgesico**	oun anal**djéé**ziko
aspirines	**delle aspirine**	**dél**lé aspi**rii**né
bandage élastique	**una benda elastica**	**oû**na **bén**da é**las**tika
calmant	**un sedativo**	oun séda**tii**vo
coton hydrophile	**del cotone idrofilo**	dél ko**too**né i**droo**filo
désinfectant	**del disinfettante**	dél dizinnfét**tann**té
emplâtres pour cors	**dei cerotti callifughi**	déy tché**rot**ti calli**foû**ghi
gargarisme	**un liquido per gargarismi**	oun **lii**kouido pér garga**riz**mi
gaze	**della garza**	**dél**la **gar**dza
gouttes	**delle gocce**	**dél**lé **got**tché
pour le nez	**nasali**	na**zaa**li
pour les oreilles	**per le orecchie**	pér lé o**rék**kyé
pour les yeux	**per gli occhi**	pér lyi **ok**ki
insecticide	**un insetticida**	oun innsétti**tchii**da
laxatif	**un lassativo**	oun lassa**tii**vo
mouchoirs en papier	**dei fazzoletti di carta**	déy fattso**lét**ti di **kar**ta
pansement	**una medicazione**	**oû**na médika**tsyoo**né
pastilles pour la gorge	**delle pasticche per la gola**	**dél**lé pa**stik**ké pér la **goo**la
préservatifs	**dei preservativi**	déy prézérva**tii**vi
pommade anti-septique	**una crema anti-settica**	**oû**na **kréé**ma annti-**sét**tika
protection contre les insectes	**una crema contro gli insetti**	**oû**na **kréé**ma **konn**tro lyi inn**sét**ti
serviettes hygié-niques	**degli assorbenti igienici**	**déé**lyi assor**bén**ti i**djéé**nitchi
sirop contre la toux	**uno sciroppo per la tosse**	**oû**no chi**rop**po pér la **tos**sé
somnifères	**dei sonniferi**	déy son**nii**féri
sparadrap	**dei cerotti**	déy tché**rot**ti
suppositoires	**delle supposte**	**dél**lé soup**pos**té
tampons hygiéniques	**dei tamponi igienici**	déy tamm**poo**ni i**djéé**nitchi
teinture d'iode	**della tintura di iodio**	**dél**la tinn**toû**ra di **yoo**dyo
thermomètre	**un termometro**	oun tér**moo**métro
tranquillisants	**un tranquillante**	oun trannkouil**lann**té
trousse de premiers secours	**una cassetta del pronto soccorso**	**oû**na kas**sét**ta dél **pronn**to sok**kor**so
vitamines	**delle vitamine**	**dél**lé vita**mii**né

VELENO
POISON

SOLO USO ESTERNO
USAGE EXTERNE

PARTIES DU CORPS, voir page 138

2. Hygiène – Cosmétiques *Articoli da toilette – Cosmetici*

Je voudrais…	**Vorrei…**	vor**réy**
bain de mousse	**un bagnoschiuma**	oun bagno**skyoû**ma
blaireau	**un pennello da barba**	oun pén**nél**lo da **bar**ba
brosse à dents	**uno spazzolino da denti**	**oû**no spattso**lii**no da **dén**ti
brosse à ongles	**uno spazzolino da unghie**	**oû**no spattso**lii**no da **oun**ghyé
ciseaux à ongles	**delle forbicine da unghie**	**dél**lé forbi**tchii**né da **oun**ghyé
coton à démaquiller	**dei tamponi per togliere il trucco**	déy tamm**poo**ni pér **too**lyéré il **trouk**ko
coupe-ongles	**un taglia unghie**	oun **taa**lya **oun**ghyé
crayon pour les yeux	**una matita per occhi**	**oû**na ma**tii**ta pér **ok**ki
crème	**una crema**	**oû**na **kréé**ma
pour peau grasse/normale/sèche	**per pelle grassa/normale/secca**	pér **pél**lé **gras**sa/nor**maa**lé/**sék**ka
démaquillante	**detergente**	détér**djén**té
hydratante	**idratante**	idra**tann**té
de jour	**da giorno**	da **djor**no
pour les mains	**per le mani**	pér lé **maa**ni
de nuit	**da notte**	da **not**té
nourrissante	**nutritiva**	noutri**tii**va
pour les pieds	**per i piedi**	pér i **pyéé**di
protectrice	**protettiva**	protét**tii**va
solaire	**solare**	sol**aa**ré
dentifrice	**un dentifricio**	oun dénti**frii**tcho
déodorant	**un deodorante**	oun déodo**rann**té
dépilatoire	**un prodotto depilatorio**	oun pro**dot**to dépila**too**ryo
dissolvant	**un solvente**	oun sol**vén**té
eau de toilette	**dell'acqua di colonia**	dé**lak**koua di ko**loo**nya
fard à joues	**del trucco per le guance**	dél **trouk**ko pér lé **gouann**tché
fard à paupières	**dell'ombretto**	déllomm**brét**to
fond de teint	**un fondo tinta**	oun **fonn**do **tinn**ta
houppette	**un piumino da cipria**	oun pyou**mii**no da **tchi**pria
huile solaire	**un olio solare**	oun **oo**lyo sol**aa**ré
lames de rasoir	**delle lamette da barba**	**dél**lé la**mét**té da **bar**ba
lime à ongles	**una lima da unghie**	**oû**na **lii**ma da **oun**ghyé
lotion après-rasage	**una lozione dopobarba**	**oû**na lo**tsyoo**né dopo**bar**ba

mousse à raser	**della schiuma da barba**	**dél**la **skyoû**ma da **bar**ba
papier hygiénique	**della carta igienica**	**dél**la **kar**ta i**djéé**nika
parfum	**del profumo**	dél pro**foû**mo
pince à épiler	**delle pinzette per depilare**	**dél**lé pinn**tsét**té pér dépi**laa**ré
pommade pour les lèvres	**una pomata per le labbra**	**oû**na po**maa**ta pér lé **lab**bra
poudre pour le visage	**della cipria**	**dél**la **tchi**pria
rasoir	**un rasoio**	oun ra**zoo**yo
rouge à lèvres	**un rossetto**	oun ros**sét**to
savon	**una saponetta**	**oû**na sapo**nét**ta
talc	**del talco**	dél **tal**ko
trousse de toilette	**una borsetta per toeletta**	**oû**na bor**sét**ta pér toé**lét**ta
vernis à ongles	**uno smalto per unghie**	**oû**no **smal**to pér **oun**ghyé

Pour vos cheveux *Per i vostri capelli*

barette	**un fermaglio**	oun fér**maa**lyo
bigoudis	**dei bigodini**	déy bigo**dii**ni
brosse à cheveux	**una spazzola per capelli**	**oû**na **spat**tsola pér ka**pél**li
épingles à cheveux	**delle forcine**	**dél**lé for**tchii**né
fixatif	**una lozione fissativa**	**oû**na lo**tsyoo**né fissa**tii**va
gel	**del gel**	dél djél
laque	**della lacca**	**dél**la **lak**ka
lotion capillaire	**una lozione per i capelli**	**oû**na lo**tsyoo**né pér i ka**pél**li
peigne	**un pettine**	oun **pét**tiné
pinces à cheveux	**delle mollette**	**dél**lé mol**lét**té
shampooing	**uno shampo**	**oû**no **chamm**po
pour cheveux gras/normaux/secs	**per capelli grassi/normali/secchi**	pér ka**pél**li **gras**si/nor**maa**li/**sék**ki
antipelliculaire	**antiforfora**	annti**for**fora
colorant	**colorante**	kolo**rann**té
teinture	**una tintura**	**oû**na tinn**toû**ra

Pour le bébé *Per il vostro bambino*

aliments pour bébé	**degli alimenti per bebè**	**déé**lyi ali**mén**ti per bé**bé**
biberon	**un biberon**	oun bibé**ronn**
langues	**dei pannolini**	déy panno**lii**ni
tétine	**un succhiotto**	oun souk**kyot**to

Photos (magasin de) *Fotografo*

Je voudrais un appareil de photos…	**Vorrei una macchina fotografica…**	vo**r**réy **oû**na **mak**kina foto**graa**fika
automatique	**automatica**	aouto**maa**tika
bon marché	**economica**	éko**noo**mika
simple	**semplice**	**sém**plitché
Montrez-moi des caméras/caméras vidéo, s.v.p.	**Per favore, mi faccia vedere delle cine-prese/telecamere.**	pér fa**voo**ré mi **fat**tcha vé**déé**ré **dél**lé tchiné**préé**zé/télé**kaa**mére
Pouvez-vous me donner un prospectus?	**Può darmi un opuscolo?**	pouo **daar**mi oun o**pous**kolo
Je voudrais faire des photos d'identité.	**Vorrei che mi facesse delle fotografie d'identità.**	vor**réy** ké mi fa**tchés**sé **dél**lé fotogra**fii**é didénti**ta**

Films *Pellicole*

Je voudrais un film pour cet appareil.	**Vorrei una pellicola per questa macchina fotografica.**	vor**réy** **oû**na pél**lii**kola pér **koués**ta **mak**kina foto**graa**fika
noir et blanc	**in bianco e nero**	inn **byann**ko é **néé**ro
en couleurs	**a colori**	a ko**loo**ri
pour diapositives	**per diapositive**	pér dyapozi**tii**vé
pour négatifs couleurs	**per negativo a colori**	pér néga**tii**vo a ko**loo**ri
chargeur	**un caricatore a cassetta**	oun karika**too**ré a kas**sét**ta
film-disques	**una pellicola «disc»**	**oû**na pél**lii**kola «disc»
rouleau de pellicule	**un rullino**	oun roul**lii**no
24/36 poses	**ventiquattro/ trentasei pose**	vénti**kouat**tro/ trénta**séy** **poo**zé
ce format	**questo formato**	**koués**to for**maa**to
ce chiffre ASA/DIN	**questo numero ASA/DIN**	**koués**to **noû**méro aaza/dinn
à grain fin	**a grana fine**	a **graa**na **fii**né
pour lumière artificielle/du jour	**per luce artificiale/ naturale**	pér **loû**tché artifi**tchaa**lé/ natou**raa**lé
ultra sensibile	**ultra sensibile**	**oul**tra sén**sii**bilé

Développement *Sviluppo*

Combien coûte le développement?	**Quanto costa lo sviluppo?**	**kouann**to **kos**ta lo svi**loup**po

Je voudrais... copies de chaque négatif.	**Vorrei... stampe per ogni negativo.**	vor**réy**... **stamm**pé pér **o**gni néga**tii**vo
Pouvez-vous agrandir ceci, s.v.p.?	**Mi può ingrandire questo, per favore?**	mi pouo inngrann**dii**ré **koués**to pér fa**voo**ré
Quand les photos seront-elles prêtes?	**Quando saranno pronte le fotografie?**	**kouann**do sa**ran**no **pronn**té lé fotogra**fii**é

Accessoires *Accessori*

Je voudrais...	**Vorrei...**	vor**réy**
capuchon d'objectif	**un cappuccio per obiettivo**	oun kap**pout**tcho pér obyét**tii**vo
déclencheur	**uno scatto**	**oû**no **skat**to
étui (pour appareil)	**un astuccio (per la macchina)**	oun a**stout**tcho (pér la **mak**kina)
filtre	**un filtro**	oun **fil**tro
polarisant	**polarizzante**	polarid**dzann**té
ultra-violet	**ultravioletto**	oultravyo**lét**to
flash (électronique)	**un flash (elettronico)**	oun «flash» (élét**troo**niko)
objectif	**un obiettivo**	oun obyét**tii**vo
grand angle	**grandangolare**	granndanngo**laa**ré
téléobjectif	**un teleobiettivo**	oun téléobyét**tii**vo
pare-soleil	**un paraluce**	oun para**loû**tché
pile	**una pila**	**oû**na **pii**la
trépied	**un treppiedi**	oun trép**pyéé**di

Réparations *Riparazioni*

Pouvez-vous réparer cet appareil?	**Può riparare questa macchina fotografica?**	pouo ripa**raa**ré **koués**ta **mak**kina foto**graa**fika
Le film est bloqué.	**La pellicola è bloccata.**	la pél**lii**kola é blok**kaa**ta
Quelque chose ne va pas avec le/la...	**C'è qualcosa che non va con...**	tché koual**koo**za ké nonn va konn
compte-poses	**il contatore di esposizioni**	il konnta**too**ré di éspozi**tsyoo**ni
levier d'avancement	**la leva d'avanzamento della pellicola**	la **léé**va davanntsa**mén**to **dél**la pél**lii**kola
obturateur	**l'otturatore**	lottoura**too**ré
posemètre	**l'esposimetro**	léspo**zii**métro
télémètre	**il telemetro**	il té**léé**métro

CHIFFRES, voir page 148

Divers *Diversi*

Souvenirs *Oggetti ricordo*

Dans ce domaine, vous n'aurez que l'embarras du choix. Il est en effet difficile de résister à l'élégance des vêtements et accessoires en cuir ou en soie. Mais il y a aussi les objets d'art et d'artisanat en grande variété, ainsi que les bijoux.

Pour les gourmands aussi le choix est immense. Ils pourront emporter un *panforte,* une fiasque de *chianti* ou une autre bouteille d'un vin réputé, un salami ou un morceau de vieux parmesan *(parmigiano).* Bref, il y en a vraiment pour tous les goûts et toutes les bourses.

Que me conseillez-vous?	**Che cosa mi consiglia?**	ké **koo**za mi konn**sii**lya
articles	**degli articoli**	**dé**élyi ar**tii**koli
en albâtre	**in alabastro**	inn ala**bas**tro
en terre cuite	**in terracotta**	inn térra**kot**ta
en verre	**in vetro**	inn **vé**tro
bijoux fantaisie	**dei gioielli fantasia**	déy djo**yél**li fannta**zii**a
broderie	**dei ricami**	déy ri**kaa**mi
céramique	**delle ceramiche**	**dél**lé tché**raa**miké
maroquinerie	**degli articoli di pelletteria**	**dé**élyi ar**tii**koli di pélléttér**ii**a
ceinture	**una cintura**	**oû**na tchinn**toû**ra
gants	**un paio di guanti**	oun **paa**yo di **gouann**ti
portefeuille	**un portafoglio**	oun porta**foo**lyo
sac à main	**una borsetta**	**oû**na bor**sét**ta
soie	**della seta**	**dél**la **séé**ta
blouse	**una blusa**	**oû**na **bloû**za
cravate	**una cravatta**	**oû**na kra**vat**ta
écharpe	**una sciarpa**	**oû**na **char**pa

Disques – Cassettes *Dischi – Cassette*

Avez-vous des disques de...?	**Avete dischi di...?**	a**vé**été **dis**ki di
Je voudrais...	**Vorrei...**	vor**réy**
cassette (vierge)	**una cassetta (vuota)**	**oû**na kas**sét**ta (**vouoo**ta)
disque compacte	**un compact disc**	oun «compact disc»
vidéocassette	**una video cassetta**	**oû**na **vii**déo kas**sét**ta

Avez-vous des chansons de...?	**Avete delle canzoni di...?**	a**véé**té **dél**lé kann**tsoo**ni di
Puis-je écouter ce disque?	**Posso ascoltare questo disco?**	**pos**so askol**taa**ré **koués**to **dis**ko

33 tours	**33 giri**	trénta**tré djii**ri
(super) 45 tours	**(super) 45 giri**	(**soû**pér) kouarannta-**tchinn**koué **djii**ri

la musique	**la musica**	la **moû**zika
de chambre	**da camera**	da **kaa**méra
classique	**classica**	**klas**sika
folklorique	**folcloristica**	folklo**ris**tika
instrumentale	**strumentale**	stroumén**taa**lé
de jazz	**jazz**	«jazz»
légère	**leggera**	léd**djéé**ra
symphonique	**sinfonica**	sinn**foo**nika
religieuse	**religiosa**	réli**djoo**za

Jouets *Giocattoli*

Je voudrais un jeu/jouet...	**Vorrei un gioco/un giocattolo...**	vor**réy** oun **djoo**ko/ oun djo**kat**tolo
pour un garçon	**per un bambino**	pér oun bamm**bii**no
pour une fillette de 5 ans	**per una bambina di 5 anni**	pér **oû**na bamm**bii**na di 5 **an**ni
auto miniature	**una macchinina**	**oû**na makki**nii**na
ballon (de plage)	**un pallone (da spiaggia)**	oun pal**loo**né (da **spyad**dja)
jeu de cartes	**un gioco di carte**	oun **djoo**ko di **kar**té
jeu de construction	**delle costruzioni**	**dél**lé kostrou**tsyoo**ni
jeu de dés	**un gioco di dadi**	oun **djoo**ko di **daa**di
jeu d'échecs	**degli scacchi**	**déé**lyi **skak**ki
jeu électronique	**un gioco elettronico**	oun **djoo**ko éléttr**oo**niko
palmes	**delle pinne**	**dél**lé **pin**né
patins à roulette	**dei pattini a rotelle**	déy **pat**tini a ro**tél**lé
poupée	**una bambola**	**oû**na **bamm**bola
puzzle	**un puzzle**	oun «puzzle»
seau et pelle	**un secchiello e una paletta**	oun sék**kyél**lo é **oû**na pa**lét**ta
train électrique	**un trenino elettrico**	oun tré**nii**no é**lét**triko
tuba	**una maschera da subacqueo**	**oû**na **mas**kéra da sou**bak**kouéo

Votre argent: Banque – Change

Les heures d'ouverture des banques italiennes sont assez variables. Disons qu'en général elles sont ouvertes du lundi au vendredi de 8 h. 30 à 13 h. 30. Les bureaux de change ont le même horaire, mais certains ouvrent à nouveau en fin d'après-midi. Enfin dans les grandes gares et les aéroports, vous trouverez des guichets ouverts plus longtemps.

Au Tessin, banques et bureaux de change sont ouverts du lundi au vendredi de 8 h. 30 à midi et de 14 h. 00 à 16 h. 30. Là aussi, les bureaux de change dans les gares sont ouverts plus longtemps.

Unité monétaire *Valuta*

L'unité monétaire italienne est la *lira* (pluriel *lire,* en abrégé *L.* ou *Lit.*).

Pièces: 50, 100, 200 et 500 lires
Billets: 1000, 2000, 5000, 10 000, 50 000 et 100 000 lires

En italien, le franc suisse s'appelle *franco* (pluriel *franchi,* en abrégé *fr.*). Un *franco* vaut 100 *centesimi.*

Les chèques de voyage et les eurochèques sont acceptés pratiquement partout, mais il est plus avantageux de les changer dans les banques ou les bureaux de change. Les cartes de crédit sont acceptées dans la plupart des hôtels, les grands restaurants et certains magasins.

CAMBIO CHANGE

Où est la banque la plus proche?	**Dov'è la banca più vicina?**	do**vé** la **bann**ka pyou vi**tchii**na
Où y a-t-il un bureau de change?	**Dov'è un ufficio cambio?**	do**vé** oun ou**fii**tcho **kamm**byo
Quand ouvre/ ferme-t-elle/il?	**Quando apre/ chiude?**	**kouann**do **a**pré/ **kyoû**dé

A la banque *In banca*

Je voudrais changer des francs…	**Vorrei cambiare dei franchi…**	vor**réy** kamm**byaa**ré déy **frann**ki
belges	**belgi**	**bél**dji
français	**francesi**	frann**tchéé**zi
suisses	**svizzeri**	**svit**tzéri
Quel est le cours du change?	**Qual è il corso del cambio?**	koua**lé** il **kor**so dél **kamm**byo
Donnez-moi des billets de … lires, s.v.p.	**Per favore, mi dia delle banconote da … lire.**	pér fa**voo**ré mi **dii**a **dél**lé bannko**noo**té da … **lii**ré
J'ai besoin de petite monnaie.	**Vorrei della moneta.**	vor**réy dél**la mo**néé**ta
Je voudrais encaisser un chèque de voyage/ un eurochèque.	**Vorrei incassare un traveller's che- que/un eurocheque.**	vor**réy** innkas**saa**ré oun «traveller's cheque»/ oun «eurocheque»
Voici mon passeport.	**Ecco il passaporto.**	**ék**ko il passa**por**to
Quelle commission prenez-vous?	**Quanto trattiene di commissione?**	**kouann**to trat**tyéé**né di kommis**syoo**né
Puis-je toucher un chèque à ordre?	**Può cambiare un assegno personale?**	pouo kamm**byaa**ré oun as**sé**gno pérso**naa**lé
J'ai…	**Ho…**	o
carte de crédit	**una carta di credito**	**oû**na **kar**ta di **kréé**dito
lettre de crédit	**una lettera di credito**	**oû**na **lét**téra di **kréé**dito
lettre de recomman- dation de…	**una lettera di presentazione di…**	**oû**na **lét**téra di prézénta**tsyoo**né di
J'attends de l'argent de… Est-il arrivé?	**Aspetto del denaro da… È arrivato?**	as**pét**to dél dé**naa**ro da… é arri**vaa**to

Dépôts – Retraits *Depositi – Prelevamenti*

Je voudrais…	**Vorrei…**	vor**réy**
ouvrir un compte	**aprire un conto**	a**prii**ré oun **konn**to
retirer… lires	**prelevare …lire**	prélé**vaa**ré… **lii**ré
verser ceci sur mon compte	**versare questo sul mio conto**	vér**saa**ré **koués**to soul **mii**o **konn**to
Où dois-je signer?	**Dove devo firmare?**	**doo**vé **déé**vo fir**maa**ré

CHIFFRES, voir page 148

Termes d'affaires *Termini d'affari*

J'ai rendez-vous avec...	**Ho un appuntamento con...**	o oun appountaménto konn
Voici ma carte.	**Ecco il mio bigliettino.**	ékko il miio bilyéttiino
Pouvez-vous me faire un devis (estimatif)?	**Può farmi un preventivo?**	pouo faarmi oun prévéntiivo
Quel est le taux d'inflation?	**Qual è il tasso d'inflazione?**	koualé il tasso dinnflatsyooné
Pourriez-vous me procurer un(e)...?	**Può procurarmi...?**	pouo prokouraarmi
interprète	**un (una) interprete**	oun (oûna) inntérprété
secrétaire	**una segretaria**	oûna ségrétaarya
traducteur/trice	**un traduttore (una traduttrice)**	oun tradouttooré (oûna tradouttriitché)
traduction	**una traduzione**	oûna tradoutsyooné
Où puis-je faire des photocopies?	**Dove posso fare delle fotocopie?**	doové posso faaré déllé fotokoopyé

achat	**l'acquisto**	lakkouisto
action	**l'azione**	latsyooné
balance/bilan	**il bilancio**	il bilanntcho
bénéfice	**il profitto**	il profitto
capital	**il capitale**	il kapitaalé
chèque	**l'assegno**	lasségno
contrat	**il contratto**	il konntratto
crédit	**il credito**	il kréédito
facture	**la fattura**	la fattoûra
frais	**la spesa**	la spééza
hypothèque	**l'ipoteca**	lipotééka
intérêt	**l'interesse**	linntéréssé
paiement	**il pagamento**	il pagaménto
perte	**la perdita**	la pérdita
placement	**l'investimento**	linnvéstiménto
pourcentage	**la percentuale**	la pértchéntouaalé
rabais	**lo sconto**	lo skonnto
somme	**l'importo**	limmporto
taux d'intérêt	**il tasso d'interesse**	il tasso dinntéréssé
transfert	**il trasferimento**	il trasfériménto
valeur	**il valore**	il valooré
vente	**la vendita**	la véndita

Poste – Téléphone

A la poste *All'ufficio postale*

En Italie, les bureaux de poste sont généralement ouverts du lundi au vendredi, de 8 h. ou 8 h.30 à 13 h. ou 14 h. et le samedi jusqu'à 13 h. Les timbres-poste sont également en vente dans les bureaux de tabac *(la tabaccheria)* et dans certains hôtels. Les boîtes aux lettres sont rouges.

Les bureaux de poste suisses sont ouverts du lundi au vendredi de 7 h. 30 à midi et de 13 h. 45 à 18 h. 15, le samedi jusqu'à 11 h. Les boîtes aux lettres sont jaunes.

Où est la poste la plus proche?	**Dov'è l'ufficio postale (più vicino)?**	do**vé** louf**fii**tcho po**staa**lé (pyou vi**tchii**no)
A quelle heure ouvre/ferme le bureau de poste?	**A che ora apre/ chiude l'ufficio postale?**	a ké **oo**ra **a**pré/ **kyoû**dé louf**fii**tcho po**staa**lé
A quel guichet puis-je acheter des timbres?	**A che sportello devo andare per i francobolli?**	a ké spor**tél**lo **dé**évo ann**daa**ré pér i frannko**bol**li
Je voudrais un timbre pour cette lettre/carte postale, s.v.p.	**Vorrei un francobollo per questa lettera/cartolina, per favore.**	vor**réy** oun frannko**bol**lo pér **koués**ta **lét**téra/karto**lii**na pér fa**voo**ré
Combien coûte le port d'une lettre pour la...?	**Qual è l'affrancatura per una lettera per...?**	koua**lé** laffranka**toû**ra pér **oû**na **lét**téra pér
Belgique	**il Belgio**	il **bél**djo
France	**la Francia**	la **frann**tcha
Suisse	**la Svizzera**	la **svit**tséra
Où est la boîte aux lettres?	**Dov'è la cassetta delle lettere?**	do**vé** la kas**sét**ta **dél**lé **lét**téré
Je voudrais envoyer ceci...	**Vorrei inviare questo per...**	vor**réy** inn**vyaa**ré **koués**to pér
par avion	**via aerea**	**vii**a a**éé**réa
par exprès	**espresso**	é**sprés**so
recommandé	**raccomandata**	rakkomann**daa**ta

Je voudrais envoyer ce paquet à l'étranger.	**Vorrei spedire questo pacchetto all'estero.**	vor**réy** spé**dii**ré **koués**to pak**két**to al**lés**téro
Dois-je remplir une déclaration pour la douane?	**Devo compilare una dichiarazione per la dogana?**	**déé**vo kommpi**laa**ré **oû**na dikyara**tsyoo**né pér la do**gaa**na
A quel guichet puis-je encaisser un mandat international?	**A quale sportello posso riscuotere un vaglia internazionale?**	a **kouaa**lé spor**tél**lo **pos**so ri**skouoo**téré oun **vaa**lya inntérnatsyo**naa**lé
Où se trouve le guichet de la poste restante?	**Dov'é lo sportello del fermo posta?**	do**vé** lo spor**tél**lo dél **fér**mo **pos**ta
Y a-t-il du courrier pour moi?	**C'è della posta per me?**	tché **dél**la **pos**ta pér mé
Je m'appelle...	**Mi chiamo...**	mi **kyaa**mo
Pourriez-vous faire suivre mon courrier à cette adresse, s.v.p.	**Per favore, faccia seguire la mia corrispondenza a questo indirizzo.**	pér fa**voo**ré **fat**tcha sé**gouii**ré la **mii**a korrisponn**dén**tsa a **koués**to inndi**rit**tso

FRANCOBOLLI	TIMBRES
PACCHI	PAQUETS (COLIS)
VAGLIA POSTALI	MANDATS
FERMO POSTA	POSTE RESTANTE

Télégramme – Télex *Telegrammi – Telex*

Je voudrais envoyer un télégramme.	**Vorrei inviare un telegramma.**	vor**réy** inn**vyaa**ré oun télé**gram**ma
Puis-je avoir un formulaire, s.v.p?	**Può darmi un modulo?**	pouo **daar**mi oun **moo**doulo
Combien coûte le mot?	**Quanto costa ogni parola?**	**kouann**to **kos**ta **o**gni pa**roo**la
Est-ce que le télégramme arrive encore aujourd'hui?	**Verrà consegnato oggi il telegramma?**	vér**ra** konnsé**gnaa**to **od**dji il télé**gram**ma
Puis-je envoyer un télex/téléfax?	**Posso inviare un telex/telefax?**	**pos**so inn**vyaa**ré oun **té**lex/**té**léfax

PAYS, voir page 146

Téléphone *Telefono*

Des téléphones sont à la disposition du public dans les bureaux de poste, ainsi que dans certains cafés et bars; ces derniers sont signalés par une enseigne jaune portant un cadran téléphonique. Les appareils anciens fonctionnent avec des jetons *(gettoni)* qu'on peut se procurer à la caisse. Les jetons non utilisés sont repris. Les appareils plus récents, munis de deux fentes, fonctionnent aussi bien avec des jetons qu'avec des pièces; les plus modernes avec les cartes magnétiques.

Où se trouve le téléphone?	**Dov'è il telefono?**	do**vé** il té**léé**fono
Où est la cabine téléphonique la plus proche?	**Dov'è la cabina telefonica più vicina?**	do**vé** la ka**bii**na télé**foo**nika pyou vi**tchii**na
Puis-je utiliser votre téléphone?	**Posso usare il suo telefono?**	**pos**so ou**zaa**ré il **soûo** té**léé**fono
Puis-je avoir un jeton/ une carte pour le téléphone?	**Mi può dare un gettone/una scheda telefonica?**	mi pouo **daa**ré oun djét**too**né/**oû**na **skéé**da télé**foo**nika
Avez-vous l'annuaire téléphonique de...?	**Ha l'elenco telefonico di...?**	a lé**lén**ko télé**foo**niko di

Téléphoniste *Centralinista*

Quel est le numéro du service international?	**Qual è il numero del servizio internazionale?**	koua**lé** il **noû**méro dél sér**vii**tsyo inntérnatsyo**naa**lé
Je voudrais téléphoner en...	**Vorrei telefonare in...**	vor**réy** téléfo**naa**ré inn
Belgique	**Belgio**	**bél**djo
France	**Francia**	**frann**tcha
Suisse	**Svizzera**	**svit**tséra
Quel est l'indicatif de...?	**Qual è il prefisso di...?**	koua**lé** il pré**fis**so di
Pouvez-vous me passer ce numéro à Marseille?	**Può passarmi questo numero a Marsiglia?**	pouo pas**saar**mi **koués**to **noû**méro a mar**sii**lya

CHIFFRES, voir page 148

Je voudrais une communication en P.C.V.	**Vorrei fare una chiamata a carico del destinatario.**	vor**réy** **faa**ré **oû**na kya**maa**ta a **kaa**riko dél déstina**taa**ryo
Je voudrais une communication avec préavis.	**Vorrei fare una telefonata con preavviso.**	vor**réy** **faa**ré **oû**na téléfo**naa**ta konn préav**vii**zo
Nous avons été coupés.	**La comunicazione si è interrotta.**	la komounika**tsyoo**né si é inntér**rot**ta
Je ne peux pas atteindre ce numéro.	**Non posso ottenere il numero.**	nonn **pos**so otté**néé**ré il **noû**méro
Vous m'avez donné un faux numéro.	**Mi ha dato il numero sbagliato.**	mi a **daa**to il **noû**méro sbal**yaa**to

Au téléphone *Al telefono*

Allô. Ici...	**Pronto. Qui parla...**	**pronn**to. koui **par**la
Je voudrais parler à...	**Vorrei parlare a...**	vor**réy** par**laa**ré a
Je voudrais l'interne...	**Mi dia la linea interna...**	mi **dii**a la **lii**néa inn**tér**na
Qui est à l'appareil?	**Chi parla?**	ki **par**la
Je ne comprends pas.	**Non capisco.**	nonn ka**pis**ko
Veuillez parler plus fort/lentement, s.v.p.	**Parli più forte/ più lentamente, per favore.**	**par**li pyou **for**té/ pyou lénta**mén**té pér fa**voo**ré

Code d'épellation *Alfabeto telefonico*

A	**Ancona**	ann**koo**na	N	**Napoli**	**naa**poli
B	**Bari**	**baa**ri	O	**Otranto**	**o**trannto
C	**Catania**	ka**taa**nya	P	**Palermo**	pa**lér**mo
D	**Domodossola**	domo**dos**sola	Q	**Quarto**	**kouar**to
E	**Empoli**	**ém**poli	R	**Roma**	**roo**ma
F	**Firenze**	fi**rén**tsé	S	**Sassari**	**sas**sari
G	**Genova**	**djéé**nova	T	**Torino**	to**rii**no
H	**Hotel**	o**tél**	U	**Udine**	**oû**diné
I	**Imperia**	imm**péé**rya	V	**Venezia**	vé**néé**tsya
J	**i lunga**	i **loun**ga	W	**v doppia**	vi **dop**pya
K	**Kappa**	**kap**pa	X	**ix**	ix
L	**Livorno**	li**vor**no	Y	**i greca**	i **gréé**ka
M	**Milano**	mi**laa**no	Z	**zeta**	**dzéé**ta

Absent *Assente*

Quand sera-t-il/elle de retour?	**Quando ritornerà?**	**kouann**do ritorné**ra**
Pouvez-vous lui dire que j'ai appelé?	**Vuol dirgli/dirle* che ho telefonato?**	vouol **dir**lyi/**dir**lé ké o téléfo**naa**to
Mon nom est...	**Mi chiamo...**	mi **kyaa**mo
Pourriez-vous lui demander de me rappeler?	**Può chiedergli/ chiederle di telefonarmi?**	pouo **kyéé**dérlyi/ **kyéé**dérlé di téléfo**naar**mi
Pourriez-vous transmettre un message?	**Potrebbe trasmettere un messaggio?**	po**tréb**bé traz**mét**téré oun més**sad**djo
Je rappellerai plus tard.	**Richiamerò più tardi.**	rikyamé**ro** pyou **tar**di

Taxes *Costo della telefonata*

Quel est le prix de la communication?	**Quanto è costata la telefonata?**	**kouann**to é ko**staa**ta la téléfo**naa**ta
Je voudrais payer la communication.	**Desidero pagare la telefonata.**	dé**zii**déro pa**gaa**ré la téléfo**naa**ta

C'è una telefonata per lei.	Il y a un appel pour vous.
Resti in linea, per favore.	Ne quittez pas, s.v.p.
Che numero chiama?	Quel numéro demandez-vous?
Un attimo, per favore.	Un instant, s.v.p.
La linea è occupata.	La ligne est occupée.
Non risponde.	On ne répond pas.
È fuori in questo momento.	Il/Elle est absent(e) pour le moment.
Sarà di ritorno alle tre.	Il/Elle sera de retour à 3 heures.
Ha chiamato il numero sbagliato.	Vous avez fait un faux numéro.
Questo numero non è più valido.	Ce numéro n'est plus valable.

* *dirgli/dirle:* «dire à lui/à elle»

HEURES, voir page 154

Médecin

Si vous avez besoin d'un médecin ou d'un dentiste, la réception de votre hôtel saura vous en indiquer un. Vous pouvez aussi vous rendre au service des urgences *(pronto soccorso)* de l'hôpital régional.

Il serait prudent, avant votre départ en vacances, de vérifier si vous êtes couvert par vos assurances à l'étranger.

Généralités *Generalità*

Pouvez-vous appeler un médecin?	**Può chiamarmi un medico?**	pouo kya**maar**mi oun **méé**diko
Y a-t-il un médecin ici?	**C'è un medico qui?**	tché oun **méé**diko koui
J'ai besoin d'un médecin, vite.	**Mi serve un medico, presto!**	mi **sér**vé oun **méé**diko **prés**to
Où puis-je trouver un médecin qui parle français?	**Dove posso trovare un medico che parli francese?**	**doo**vé **pos**so tro**vaa**ré oun **méé**diko ké **par**li frann**tchéé**zé
Où est le cabinet médical?	**Dov'è l'ambulatorio del medico?**	do**vé** lammboula**too**ryo dél **méé**diko
Quelles sont les heures de consultation?	**Quali sono le ore di consultazione?**	**kouaa**li **soo**no lé **oo**ré di konnsoulta**tsyoo**né
Le médecin pourrait-il m'examiner ici?	**Il medico può venire a visitarmi qui?**	il **méé**diko pouo ve**nii**ré a vizi**taar**mi koui
A quelle heure peut-il venir?	**A che ora può venire?**	a ké **oo**ra pouo ve**nii**ré
Pouvez-vous me recommander un/une...?	**Può consigliarmi ...?**	pouo konnsi**lyaar**mi
généraliste	**un medico generico**	oun **méé**diko djé**néé**riko
gynécologue	**un ginecologo**	oun djiné**koo**logo
pédiatre	**un pediatra**	oun pé**dya**tra
Puis-je avoir un rendez-vous...?	**Può fissarmi un appuntamento...?**	pouo fis**saar**mi oun appounta**mén**to
tout de suite	**subito**	**soû**bito
demain	**domani**	do**maa**ni
dès que possible	**al più presto**	al pyou **prés**to

PHARMACIE, voir page 121/URGENCES, page 157

Les parties du corps *Le parti del corpo*

amygdales	**le tonsille**	lé tonn**sil**lé
articulation	**l'articolazione**	lartikola**tsyoo**né
bouche	**la bocca**	la **bok**ka
bras	**il braccio**	il **bratt**cho
cheville	**la caviglia**	la ka**vii**lya
clavicule	**la clavicola**	la kla**vii**kola
cœur	**il cuore**	il **kouoo**ré
colonne vertébrale	**la spina dorsale**	la **spii**na dor**saa**lé
côte	**la costola**	la **kos**tola
cou	**il collo**	il **kol**lo
coude	**il gomito**	il **goo**mito
cuisse	**la coscia**	la **ko**cha
doigt	**il dito**	il **dii**to
dos	**la schiena**	la **skyéé**na
épaule	**la spalla**	la **spal**la
estomac	**lo stomaco**	lo **stoo**mako
foie	**il fegato**	il **féé**gato
genou	**il ginocchio**	il dji**nok**kyo
gorge	**la gola**	la **goo**la
intestin	**l'intestino**	linnté**stii**no
jambe	**la gamba**	la **gamm**ba
langue	**la lingua**	la **linn**goua
mâchoire	**la mascella**	la ma**chél**la
main	**la mano**	la **maa**no
muscle	**il muscolo**	il **mous**kolo
nerf	**il nervo**	il **nér**vo
nez	**il naso**	il **naa**zo
œil	**l'occhio**	**lok**kyo
oreille	**l'orecchio**	lo**rék**kyo
organes génitaux	**i genitali**	i djéni**taa**li
orteil	**il dito del piede**	il **dii**to dél **pyéé**dé
os	**l'osso**	**los**so
peau	**la pelle**	la **pél**lé
pied	**il piede**	il **pyéé**dé
poignet	**il polso**	il **pol**so
poitrine	**il petto**	il **pét**to
poumon	**il polmone**	il pol**moo**né
rein	**il rene**	il **réé**né
sein	**il seno**	il **séé**no
tendon	**il tendine**	il **tén**diné
tête	**la testa**	la **tés**ta
veine	**la vena**	la **véé**na
vésicule	**la vescicola**	la vé**chii**kola
vessie	**la vescica**	la vé**chii**ka
visage	**il viso**	il **vii**zo

Accident – Blessure *Incidente – Ferita*

Il est arrivé un accident.	**C'è stato un incidente.**	tché **staa**to oun inntchi**dén**té
Mon enfant a fait une chute.	**Il mio bambino/ La mia bambina è caduto(a).**	il **mii**o bamm**bii**no/ la **mii**a bamm**bii**na é ka**doû**to(a)
Il/Elle s'est blessé(e) à la tête.	**Lui/Lei si è ferito(a) alla testa.**	loûi/léy si é fé**rii**to(a) **al**la **tés**ta
Il/Elle a perdu connaissance.	**È svenuto(a).**	é zvé**noû**to
Il/Elle saigne (abondamment).	**Perde (molto) sangue.**	**pér**dé (**mol**to) **sann**goué
Son bras est cassé.	**Si è rotto(a) il braccio.**	si é **rot**to il **brat**tcho
Sa cheville est enflée.	**Ha la caviglia gonfia.**	a la ka**vii**lya **gonn**fya
Je me suis coupé(e).	**Mi sono tagliato(a).**	mi **soo**no ta**lyaa**to(a)
J'ai été piqué(e) par une guêpe/une abeille.	**Sono stato(a) punto(a) da una vespa/ da un'ape.**	**soon**no **staa**to(a) **poun**to(a) da **oû**na **vés**pa/ da ou**naa**pé
Un chien m'a mordu.	**Mi ha morso un cane.**	mi a **mor**so oun **kaa**né
J'ai quelque chose dans l'œil.	**Ho qualcosa nell'occhio.**	o koual**koo**za nél**lok**kyo
J'ai...	**Ho...**	o
ampoule	**una vescica**	**oû**na vé**chii**ka
blessure	**una ferita**	**oû**na fé**rii**ta
bosse	**un bernoccolo**	oun bér**nok**kolo
brûlure	**una bruciatura**	**oû**na broutcha**toû**ra
contusion	**una contusione**	**oû**na konntou**zyoo**né
coupure	**un taglio**	oun **taa**lyo
écorchure	**una scorticatura**	**oû**na skortika**toû**ra
enflure	**un gonfiore**	oun gonn**fyoo**ré
éruption	**un esantema**	oun ézann**téé**ma
furoncle	**un foruncolo**	oun fo**roun**kolo
piqûre (d'insecte)	**una puntura (d'insetto)**	**oû**na pount**oû**ra (dinn**sét**to)
Je ne peux pas bouger...	**Non posso muovere...**	nonn **pos**so **mouoo**véré
Cela fait (très) mal.	**Mi fa (molto) male.**	mi fa (**mol**to) **maa**lé

Dove ha male?	Où avez-vous mal?
Che genere di dolore sente?	Quel genre de douleur éprouvez-vous?
debole/acuto lancinante/costante a intervalli	sourde/aiguë lancinante/persistante intermittente
Voglio che faccia una radiografia.	Il faut vous faire une radio.
È...	C'est...
distorto/lacerato rotto/slogato	déboîté/déchiré cassé/foulé
Ha uno strappo muscolare/ una contusione.	Vous avez un muscle froissé/ une contusion.
Deve essere ingessato(a).	Il faudra vous plâtrer.
È infetto.	C'est infecté.
È stato vaccinato(a) contro il tetano?	Etes-vous vacciné(e) contre le tétanos?
Le darò un antisettico/ un analgesico.	Je vais vous donner un désin-fectant/un analgésique.

Maladie *Malattia*

Je ne me sens pas bien.	**Non mi sento bene.**	nonn mi **sén**to **béé**né
Je suis malade.	**Mi sento male.**	mi **sén**to **maa**lé
J'ai des vertiges/ des nausées.	**Ho dei capogiri/ la nausea.**	o déy kapo**djii**ri/ la **na**ouzéa
J'ai des frissons.	**Ho i brividi.**	o i **brii**vidi
J'ai 38 de fièvre.	**Ho 38 di febbre.**	o 38 di **féb**bré
J'ai eu des vomisse-ments.	**Ho vomitato.**	o vomi**taa**to
Je suis constipé(e).	**Sono costipato(a).**	**soo**no kosti**paa**to(a)
J'ai la diarrhée.	**Ho la diarrea.**	o la dyar**réé**a
J'ai mal à...	**Ho male al/alla...**	o **maa**lé al/**al**la
Je saigne du nez.	**Mi sanguina il naso.**	mi **sann**gouina il **naa**zo

J'ai…	**Ho…**	o
asthme	**l'asma**	**las**ma
crampes	**dei crampi**	déy **kramm**pi
grippe	**l'influenza**	linnflou**én**tsa
indigestion	**un'indigestione**	ouninndidjé**styoo**né
insolation	**un colpo di sole**	oun **kol**po di **soo**lé
mal à l'estomac	**il mal di stomaco**	il mal di **stoo**mako
mal à la gorge	**il mal di gola**	il mal di **goo**la
mal à la tête	**il mal di testa**	il mal di **tés**ta
mal aux oreilles	**il mal d'orecchi**	il mal do**rék**ki
mal au dos	**il mal di schiena**	il mal di **skyéé**na
palpitations	**delle palpitazioni**	**dél**lé palpita**tsyoo**ni
rhumatismes	**i reumatismi**	i réouma**tis**mi
rhume	**il raffreddore**	il raffréd**doo**ré
torticolis	**il torcicollo**	il tortchi**kol**lo
toux	**la tosse**	la **tos**sé
ulcère	**l'ulcera**	**loul**tchéra
J'ai de la peine à respirer.	**Ho difficoltà a respirare.**	o diffikol**ta** a réspi**raa**ré
J'ai une douleur dans la poitrine.	**Ho un dolore nel petto.**	o oun do**loo**ré nél **pét**to
J'ai eu une crise cardiaque il y a… ans.	**Ho avuto un attacco cardiaco… anni fa.**	o a**voû**to oun at**tak**ko kar**dii**ako… **an**ni fa
Ma tension est trop élevée/trop basse.	**La mia pressione è troppo alta/troppo bassa.**	la **mii**a prés**syoo**né é **trop**po **al**ta/**trop**po **bas**sa
Je suis diabétique.	**Ho il diabete.**	o il dya**béé**té
Je suis allergique à…	**Sono allergico(a) a…**	**soo**no al**lér**djiko(a) a

Chez le gynécologue *Dal ginecologo*

J'ai des règles douloureuses.	**Ho delle mestruazioni dolorose.**	o **dél**le méstroua**tsyoo**ni dolo**roo**zé
J'ai une infection vaginale.	**Ho un'infezione vaginale.**	o ouninnfé**tsyoo**né vadji**naa**lé
Je prends la pilule.	**Prendo la pillola.**	**prén**do la **pil**lola
Je n'ai plus eu mes règles depuis… mois.	**Non ho avuto le mestruazioni per… mesi.**	nonn o a**voû**to lé méstroua**tsyoo**ni pér… **méé**zi
Je suis enceinte (de… mois).	**Sono incinta (di… mesi).**	**soo**no inn**tchinn**ta (di… **méé**zi)

☞	☜
Da quanto tempo ha questi disturbi?	Depuis combien de temps éprouvez-vous ces troubles?
È la prima volta che ne soffre?	Est-ce la première fois que vous en souffrez?
Le misuro la pressione/ la febbre.	Je vais prendre votre tension/ température.
Tiri su la manica.	Relevez votre manche, s.v.p.
Si spogli (fino alla cintura), per favore.	Déshabillez-vous (jusqu'à la ceinture), s.v.p.
Dove ha male?	Où avez-vous mal?
Per favore, si sdrai qui.	Etendez-vous là, s.v.p.
Apra la bocca.	Ouvrez la bouche.
Respiri profondamente.	Respirez à fond.
Tossisca, prego.	Toussez, s.v.p.
Lei ha ...	Vous avez ...
l'appendicite	l'appendicite
un avvelenamento da cibi	une intoxication alimentaire
una cistite	une cystite
la gastrite	une gastrite
un'infiammazione a ...	une inflammation de ...
l'influenza	la grippe
l'itterizia	la jaunisse
una malattia venerea	une maladie vénérienne
la polmonite	une pneumonie
Non è contagioso.	Ce n'est pas contagieux.
Le farò un'iniezione.	Je vais vous faire une piqûre.
Desidero un campione del sangue/dell'urina/ delle feci.	Je voudrais un prélèvement de votre sang/de votre urine/ de vos selles.
Deve restare a letto per ... giorni.	Vous devez garder le lit pendant ... jours.
Deve consultare uno specialista.	Vous devriez consulter un spécialiste.
Deve andare all'ospedale per un controllo generale.	Vous devriez aller à l'hôpital pour un contrôle général.
Deve essere operato(a).	Il faut vous opérer.

Ordonnance – Traitement *Ricetta – Cura*

Voici mon médicament habituel.	**Questa è la mia medicina abituale.**	**koués**ta é la **mii**a médi**tchii**na abi**touaa**lé
Pouvez-vous me donner une ordonnance pour cela?	**Può farmi una ricetta per questo?**	pouo **faar**mi **oû**na ri**tchét**ta pér **koués**to
Pourriez-vous me prescrire un ...?	**Può prescrivermi ...?**	pouo prés**krii**vérmi
antidépressif somnifère tranquillisant	**un antidepressivo dei sonniferi un tranquillante**	oun anntidéprés**sii**vo déy son**nii**féri oun trannkouil**lann**té
Je suis allergique aux antibiotiques/ à la pénicilline.	**Sono allergico(a) agli antibiotici/ alla penicillina.**	**soo**no al**lér**djiko(a) **aa**lyi anntib**yoo**titchi/ **al**la pénitchil**lii**na
Je ne veux pas quelque chose de trop fort.	**Non voglio qualcosa troppo forte.**	nonn **voo**lyo koual**koo**za **trop**po **for**té
Combien de fois par jour dois-je les prendre?	**Quante volte al giorno devo prenderle?**	**kouann**té **vol**té al **djor**no **déé**vo **prén**dérlé
Dois-je les avaler entiers?	**Devo inghiottirle intere?**	**déé**vo innghyot**tir**lé inn**téé**ré

Che cura fa?	Quel traitement suivez-vous?
Che medicine prende?	Quel médicament prenez-vous?
Per iniezione o via orale?	En injection ou par voie orale?
Prenda un cucchiaino di questa medicina...	Prenez une cuillère à café de ce médicament...
Prenda una compressa con un bicchiere d'acqua...	Prenez un comprimé avec un verre d'eau...
ogni ... ore	toutes les ... heures
... volte a giorno	... fois par jour
prima/dopo ogni pasto	avant/après chaque repas
al mattino/alla sera	le matin/le soir
in caso di dolore	en cas de douleurs
per ... giorni/settimane	pendant ... jours/semaines

PHARMACIE, voir page 121

Honoraires *Onorario*

Combien vous dois-je?	**Quanto le devo?**	**kouann**to lé **déé**vo
Puis-je avoir une quittance pour mon assurance maladie?	**Posso avere una ricevuta per la mia assicurazione malattie?**	**pos**so a**véé**ré **oû**na ritché**voû**ta pér la **mii**a assikoura**tsyoo**né malat**tii**é
Puis-je avoir un certificat médical?	**Posso avere un certificato medico?**	**pos**so a**véé**ré oun tchértifi**kaa**to **méé**diko
Auriez-vous l'obligeance de remplir cette feuille maladie?	**Potrebbe compilare questo modulo per l'assicurazione malattie, per favore?**	po**tréb**bé kommpi**laa**ré **koués**to **moo**doulo pér lassikoura**tsyoo**né malat**tii**é pér fa**voo**ré

Hôpital *Ospedale*

Pourriez-vous avertir ma famille, s.v.p.	**Per favore, avverta la mia famiglia.**	pér fa**voo**ré av**vér**ta la **mii**a fa**mii**lya
Quelles sont les heures de visites?	**Quali sono gli orari di visita?**	**kouaa**li **soo**no lyi o**raa**ri di **vii**zita
Quand pourrai-je me lever?	**Quando potrò alzarmi?**	**kouann**do po**tro** al**tsaar**mi
Quand le médecin doit-il passer?	**Quando verrà il dottore/la dottoressa?**	**kouann**do vér**ra** il dot**too**ré/la dotto**rés**sa
J'ai mal.	**Ho male.**	o **maa**lé
Je ne peux pas manger/dormir.	**Non ho appetito/Non riesco a dormire.**	nonn o appé**tii**to/nonn **ryés**ko a dor**mii**ré
Où est la sonnette?	**Dov'è il campanello?**	do**vé** il kammpa**nél**lo

infirmière	**l'infermiera**	linnfér**myéé**ra
médecin/chirurgien	**il medico/il chirurgo**	il **méé**diko/il ki**rour**go
patient(e)	**il/la paziente**	il/la pa**tsyén**té
anesthésie	**l'anestesia**	lanésté**zii**a
injection/piqûre	**l'iniezione**	linnyé**tsyoo**né
opération	**l'operazione**	lopéra**tsyoo**né
transfusion	**la trasfusione di sangue**	la trasfou**zyoo**né di **sann**goué
bassin	**la padella**	la pa**dél**la
lit	**il letto**	il **lét**to
thermomètre	**il termometro**	il tér**moo**métro

Dentiste *Dentista*

Pouvez-vous m'indiquer un bon dentiste?	**Può consigliarmi un buon dentista?**	pouo konnsi**lyaar**mi oun bouonn dén**tis**ta
Puis-je avoir un rendez-vous avec le docteur...?	**Può fissarmi un appuntamento con il dottor/la dottoressa...?**	pouo fis**saar**mi oun appounta**mén**to konn il dot**tor**/la dotto**rés**sa
C'est urgent.	**È urgente.**	é our**djén**té
N'est-ce pas possible plus tôt?	**Non è possibile prima?**	nonn é pos**sii**bilé **prii**ma
J'ai mal aux dents.	**Ho mal di denti.**	o mal di **dén**ti
J'ai perdu un plombage.	**L'otturazione si è staccata.**	lottoura**tsyoo**né si é stak**kaa**ta
Je me suis cassé une dent.	**Mi sono rotto un dente.**	mi **soo**no **rot**to oun **dén**té
La dent bouge.	**Il dente dondola.**	il **dén**té **donn**dola
Cette dent me fait mal.	**Mi fa male questo dente.**	mi fa **maa**lé **koués**to **dén**té
en haut/en bas devant/derrière	**in alto/in basso davanti/dietro**	inn **al**to/inn **bas**so da**vann**ti/**dyé**tro
Est-ce un abcès/ une infection?	**È un ascesso/ un'infezione?**	é ouna**chés**so/ ouninnfé**tsyoo**né
Pouvez-vous me faire un traitement provisoire?	**Può curarlo provvisoriamente?**	pouo kou**raar**lo provvi-zorya**mén**té
Je ne veux pas que vous l'arrachiez.	**Non voglio un'estrazione.**	nonn **voo**lyo ounéstra**tsyoo**né
Pouvez-vous faire une anesthésie locale?	**Potrebbe farmi l'anestesia locale?**	po**tréb**bé **faar**mi lanésté**zii**a lo**kaa**lé
La gencive...	**La gengiva...**	la djén**djii**va
est (très) irritée saigne	**è (molto) infiammata sanguina**	é (**mol**to) innfyam**maa**ta **sann**gouina
J'ai cassé mon dentier.	**Ho rotto la dentiera.**	o **rot**to la dén**tyéé**ra
Pouvez-vous réparer ce dentier?	**Può ripararmi la dentiera?**	pouo ripa**raar**mi la dén**tyéé**ra
Quand sera-t-il prêt?	**Quando sarà pronta?**	**kouann**do sa**ra** **pronn**ta

JOURS DE LA SEMAINE, voir page 151

Renseignements divers

D'où venez-vous? *Da dove viene?*

Je viens de...	**Vengo...**	**vén**go
Belgique	**dal Belgio**	dal **bél**djo
France	**dalla Francia**	**dal**la **frann**tcha
Suisse	**dalla Svizzera**	**dal**la **svit**tséra
Je suis...	**Sono...**	**soo**no
Belge	**belga**	**bél**ga
Français(e)	**francese**	frann**tchéé**zé
Suisse(esse)	**svizzero(a)**	**svit**tséro
J'habite à/dans les environs de...	**Abito a/vicino a...**	**aa**bito a/vi**tchii**no a
Bruxelles	**Bruxelles**	**brou**xèl
Genève	**Ginevra**	dji**né**vra
Lausanne	**Losanna**	lo**zan**na
Lyon	**Lione**	li**oo**né
Marseille	**Marsiglia**	mar**sii**lya
Paris	**Parigi**	pa**rii**dji
Venez-vous de...?	**Lei viene da...?**	léy **vyéé**né da
Florence	**Firenze**	fi**rén**tsé
Gênes	**Genova**	**djéé**nova
Milan	**Milano**	mi**laa**no
Naples	**Napoli**	**naa**poli
Rome	**Roma**	**roo**ma
Turin	**Torino**	to**rii**no
Venise	**Venezia**	vé**néé**tsya

Pays *Paesi*

Afrique du Sud	**il Sudafrica**	il sou**da**frika
Algérie	**l'Algeria**	laldjé**rii**a
Allemagne	**la Germania**	la djér**maa**nya
Angleterre	**l'Inghilterra**	linnghil**tér**ra
Autriche	**l'Austria**	**laous**tria
Belgique	**il Belgio**	il **bél**djo
Bulgarie	**la Bulgaria**	la boulga**rii**a
Canada	**il Canada**	il **kaa**nada
Chine	**la Cina**	la **tchii**na

Danemark	**la Danimarca**	la dani**mar**ka
Ecosse	**la Scozia**	la **skoo**tsya
Egypte	**l'Egitto**	lé**djit**to
Espagne	**la Spagna**	la **spa**gna
Etats-Unis (USA)	**gli Stati uniti**	lyi **staa**ti ou**nii**ti
Finlande	**la Finlandia**	la finn**lann**dya
France	**la Francia**	la **frann**tcha
Grande-Bretagne	**la Gran Bretagna**	la grann bré**ta**gna
Grèce	**la Grecia**	la **gréé**tcha
Hongrie	**l'Ungheria**	lounghé**rii**a
Inde	**l'India**	**linn**dya
Irak	**l'Irak**	li**rak**
Iran	**l'Iran**	li**rann**
Irlande	**l'Irlanda**	lir**lann**da
Islande	**l'Islanda**	liz**lann**da
Israël	**Israele**	izra**éé**lé
Italie	**l'Italia**	li**taa**lya
Japon	**il Giappone**	il djap**poo**né
Jordanie	**la Giordania**	la jor**daa**nya
Liban	**il Libano**	il **lii**bano
Libye	**la Libia**	la **lii**bya
Luxembourg	**il Lussemburgo**	il loussém**bour**go
Maroc	**il Marocco**	il ma**rok**ko
Norvège	**la Norvegia**	la nor**véé**dja
Nouvelle-Zélande	**la Nuova Zelanda**	la **nouoo**va dzé**lann**da
Pays-Bas	**l'Olanda**	lo**lann**da
Pologne	**la Polonia**	la po**loo**nya
Portugal	**il Portogallo**	il porto**gal**lo
Roumanie	**la Romania**	la roma**nii**a
Suède	**la Svezia**	la **svéé**tsya
Suisse	**la Svizzera**	la **svitt**séra
Syrie	**la Siria**	la **sii**rya
Tchécoslovaquie	**la Cecoslovacchia**	la tchékoslovak**kii**a
Tunisie	**la Tunisia**	la touni**zii**a
Turquie	**la Turchia**	la tour**kii**a
Union soviétique	**l'Unione Sovietica**	lou**nyoo**né so**vyéé**tika
Yougoslavie	**la Jugoslavia**	la iougo**zlaa**vya

Continents *Continenti*

Afrique	**l'Africa**	**la**frika
Amérique du Nord	**l'America del Nord**	la**méé**rika dél nord
Amérique du Sud	**l'America del Sud**	la**méé**rika dél soud
Asie	**l'Asia**	**laa**zya
Australie	**l'Australia**	laou**straa**lya
Europe	**l'Europa**	léou**roo**pa

Chiffres *Numeri*

0	**zero**	**dzéé**ro
1	**uno**	**oû**no
2	**due**	**doû**é
3	**tre**	tré
4	**quattro**	**kouat**tro
5	**cinque**	**tchinn**koué
6	**sei**	**séé**i
7	**sette**	**sét**té
8	**otto**	**ot**to
9	**nove**	**noo**vé
10	**dieci**	**dyéé**tchi
11	**undici**	**oun**ditchi
12	**dodici**	**doo**ditchi
13	**tredici**	**tréé**ditchi
14	**quattordici**	kouat**tor**ditchi
15	**quindici**	**kouinn**ditchi
16	**sedici**	**séé**ditchi
17	**diciassette**	ditchas**sét**té
18	**diciotto**	di**tchot**to
19	**diciannove**	ditchan**noo**vé
20	**venti**	**vén**ti
21	**ventuno**	vén**toû**no
22	**ventidue**	vénti**doû**é
23	**ventitre**	vénti**tré**
24	**ventiquattro**	vénti**kouat**tro
25	**venticinque**	vénti**tchinn**koué
26	**ventisei**	vénti**séé**i
27	**ventisette**	vénti**sét**té
28	**ventotto**	vén**tot**to
29	**ventinove**	vénti**noo**vé
30	**trenta**	**trén**ta
31	**trentuno**	trén**toû**no
32	**trentadue**	trénta**doû**é
33	**trentatre**	trénta**tré**
40	**quaranta**	koua**rann**ta
41	**quarantuno**	kouarann**toû**no
42	**quarantadue**	kouarannta**doû**é
43	**quarantatre**	kouarannta**tré**
50	**cinquanta**	tchinn**kouann**ta
51	**cinquantuno**	tchinnkouann**toû**no
52	**cinquantadue**	tchinnkouannta**doû**é
53	**cinquantatre**	tchinnkouannta**tré**
60	**sessanta**	sés**sann**ta
61	**sessantuno**	séssann**toû**no
62	**sessantadue**	séssannta**doû**é

63	**sessantatre**	séssannta**tré**
70	**settanta**	sét**tann**ta
71	**settantuno**	séttann**toûn**o
72	**settantadue**	séttannta**doûé**
73	**settantatre**	séttannta**tré**
80	**ottanta**	ot**tann**ta
81	**ottantuno**	ottann**toûn**o
82	**ottantadue**	ottannta**doûé**
83	**ottantatre**	ottannta**tré**
90	**novanta**	no**vann**ta
91	**novantuno**	novann**toûn**o
92	**novantadue**	novannta**doûé**
93	**novantatre**	novannta**tré**
100	**cento**	**tchén**to
101	**centuno**	tchén**toûn**o
102	**centodue**	tchénto**doûé**
103	**centotre**	tchénto**tré**
110	**centodieci**	tchénto**dyéé**tchi
120	**centoventi**	tchénto**vén**ti
130	**centotrenta**	tchénto**trén**ta
140	**centoquaranta**	tchéntokoua**rann**ta
150	**centocinquanta**	tchéntochinn**kouann**ta
160	**centosessanta**	tchéntosés**sann**ta
170	**centosettanta**	tchéntosét**tann**ta
180	**centottanta**	tchéntot**tann**ta
190	**centonovanta**	tchéntono**vann**ta
200	**duecento**	doué**tchénn**to
300	**trecento**	tré**tchén**to
400	**quattrocento**	kouattro**tchén**to
500	**cinquecento**	tchinkoué**tchén**to
600	**seicento**	séi**tchén**to
700	**settecento**	sétté**tchén**to
800	**ottocento**	otto**tchén**to
900	**novecento**	nové**tchén**to
1000	**mille**	**mil**lé
1100	**millecento**	millé**tchén**to
1200	**milleduecento**	milléduè**tchén**to
2000	**duemila**	doué**mii**la
5000	**cinquemila**	tchinnkoué**mii**la
10 000	**diecimila**	dyétchi**mii**la
50 000	**cinquantamila**	tchinnkouannta**mii**la
100 000	**centomila**	tchénto**mii**la
1 000 000	**un milione**	oun mi**lyoo**né
1 000 000 000	**un miliardo**	oun mi**lyar**do

premier	**primo**	**prii**mo
deuxième	**secondo**	sé**konn**do
troisième	**terzo**	**tér**tso
quatrième	**quarto**	**kouar**to
cinquième	**quinto**	**kouinn**to
sixième	**sesto**	**sés**to
septième	**settimo**	**sét**timo
huitième	**ottavo**	ot**taa**vo
neuvième	**nono**	**noo**no
dixième	**decimo**	**déé**tchimo
une fois/deux fois	**una volta/due volte**	**oû**na **vol**ta/**doû**e **vol**té
la moitié	**la metà**	la mé**ta**
demi(e)	**mezzo(a)**	**méd**dzo(a)
un quart	**un quarto**	oun **kouar**to
un tiers	**un terzo**	oun **tér**tso
une paire de...	**un paio di...**	oun **paa**yo di
une douzaine	**una dozzina**	**oû**na dod**dzii**na
un pour-cent (%)	**uno per cento**	**oû**no pér **tchén**to
3,5%	**3,5 per cento**	tré **vir**gola **tchinn**koué pér **tchén**to

Année et âge *Anno ed età*

an/année	**l'anno**	**lan**no
année bissextile	**l'anno bisestile**	**lan**no bizé**stii**lé
décennie	**il decennio**	il dé**tchén**nyo
siècle	**il secolo**	il **séé**kolo
cette année	**quest'anno**	koué**stan**no
l'année dernière	**l'anno scorso**	**lan**no **skor**so
l'année prochaine	**l'anno prossimo**	**lan**no **pros**simo
il y a 2 ans	**2 anni fa**	2 **an**ni fa
dans les années 80	**negli anni '80**	**néé**lyi **an**ni ot**tann**ta
le XVIe siècle	**il XVI secolo***	il sédi**tchéé**zimo **séé**kolo
au XXe siècle	**nel XX secolo***	nél vén**téé**zimo **séé**kolo
Quel âge avez-vous?	**Quanti anni ha?**	**kouann**ti **an**ni a
J'ai 23 ans.	**Ho 23 anni.**	o 23 **an**ni
Il/Elle est né(e) en...	**È nato(a) nel...**	é **naa**to(a) nél
en 1999	**nel millenovecento-novantanove**	nél millénovétchénto-novannta**noo**vé

*En italien – surtout en histoire de l'art – on utilise souvent, pour désigner les siècles, les termes: *Duecento* (littéralement les années 200) pour le XIIIe siècle, *Trecento* (XIVe), *Quattrocento* (XVe), *Cinquecento, Seicento, Settecento, Ottocento* et *Novecento.*

Saisons *Stagioni*

printemps/été	**la primavera/l'estate**	la prima**vée**ra/lé**staa**té
automne/hiver	**l'autunno/l'inverno**	laou**toun**no/linn**vér**no
au printemps	**in primavera**	inn prima**vée**ra
en été/en automne	**in estate/in autunno**	inn é**staa**té/inn aou**toun**no
pendant l'hiver	**durante l'inverno**	dou**rann**té linn**vér**no
haute saison	**l'alta stagione**	**lal**ta sta**djoo**né
basse saison	**la bassa stagione**	la **bas**sa sta**djoo**né

Mois *Mesi*

janvier	**gennaio**	djén**naa**yo
février	**febbraio**	féb**braa**yo
mars	**marzo**	**mar**tso
avril	**aprile**	a**prii**lé
mai	**maggio**	**mad**djo
juin	**giugno**	**djoû**gno
juillet	**luglio**	**loû**lyo
août	**agosto**	a**gos**to
septembre	**settembre**	sét**tém**bré
octobre	**ottobre**	ot**to**bré
novembre	**novembre**	no**vém**bré
décembre	**dicembre**	di**tchém**bré
en septembre	**in settembre**	inn sét**tém**bré
depuis octobre	**da ottobre**	da ot**too**bré
début janvier	**l'inizio di gennaio**	li**nii**tsyo di djén**naa**yo
mi-février	**la metà di febbraio**	la mé**ta** di féb**braa**yo
fin mars	**la fine di marzo**	la **fii**né di **mar**tso
ce mois	**questo mese**	**koués**to **méé**zé
le mois dernier	**il mese scorso**	il **méé**zé **skor**so
pendant 3 mois	**per 3 mesi**	pér tré **méé**zi

Jours *Giorni*

Quel jour sommes-nous?	**Che giorno è oggi?**	ké **djor**no é **od**dji
dimanche	**domenica**	do**méé**nika
lundi	**lunedì**	louné**di**
mardi	**martedì**	marté**di**
mercredi	**mercoledì**	mérkolé**di**
jeudi	**giovedì**	djové**di**
vendredi	**venerdì**	vénér**di**
samedi	**sabato**	**saa**bato

CHIFFRES, voir page 148

le matin	**al mattino**	al mat**tii**no
pendant la matinée	**di mattina**	di mat**tii**na
dans la journée	**durante il giorno**	dou**rann**té il **djor**no
à midi	**a mezzogiorno**	a méddzo**djor**no
l'après-midi	**nel pomeriggio**	nel pomé**rid**djo
le soir/la nuit	**di sera/di notte**	di **séé**ra/di **not**té
avant-hier	**ieri l'altro**	**yéé**ri **lal**tro
hier	**ieri**	**yéé**ri
aujourd'hui	**oggi**	**od**dji
demain	**domani**	do**maa**ni
après-demain	**dopodomani**	dopodo**maa**ni
il y a 2 jours	**2 giorni fa**	2 **djor**ni fa
dans 3 jours	**fra 3 giorni**	fra 3 **djor**ni
pour 15 jours (deux semaines)	**per quindici giorni (due settimane)**	pér **kouinn**ditchi **djor**ni (**doû**é sétti**maa**né)
la semaine passée	**la settimana scorsa**	la sétti**maa**na **skor**sa
la semaine prochaine	**la settimana prossima**	la sétti**maa**na **pros**sima
dans 2 semaines	**fra 2 settimane**	fra 2 sétti**maa**né
il y a 3 semaines	**3 settimane fa**	3 sétti**maa**né fa
la fin de la semaine	**il weekend/il fine settimana**	il «weekend»/il **fii**né sétti**maa**na
anniversaire	**il compleanno**	il kommplé**an**no
fête	**l'onomastico**	lono**mas**tiko
jour de congé	**il giorno di riposo**	il **djor**no di ri**poo**zo
jour férié	**il giorno festivo**	il **djor**no fés**tii**vo
jour ouvrable	**il giorno feriale**	il **djor**no fé**ryaa**lé
vacances	**le vacanze**	lé va**kann**tsé

Date *Data*

Quelle est la date d'aujourd'hui?	**Quanti ne abbiamo oggi?**	**kouann**ti né ab**byaa**mo **od**dji
Nous sommes le 1er juillet/le 2 août.	**È il primo luglio/ il due agosto.**	é il **prii**mo **loû**lyo/ il **doû**é a**gos**to
Nous partirons le 5 mai.	**Partiremo il cinque maggio.**	parti**réé**mo il **tchinn**koué **mad**djo

Voici comment dater une lettre:

Rome, le 17 août 19..	**Roma, 17 agosto 19..**
Milan, le 1er juillet 19..	**Milano, 1 luglio 19..**

Jours fériés *Giorni festivi*

1er janvier	**Capodanno/ Primo dell'Anno**	Nouvel An
6 janvier	**Epifania**	Epiphanie
25 avril	**Festa della Liberazione**	Fête de la Libération
1er mai	**Festa del Lavoro**	Fête du Travail
15 août	**Ferragosto**	Assomption
1er novembre	**Ognissanti**	Toussaint
8 décembre	**Immacolata Concezione**	Immaculée Conception
25 décembre	**Natale**	Noël
26 décembre	**Santo Stefano**	Saint-Etienne
Fête mobile:	**Lunedì di Pasqua**	Lundi de Pâques

Au Tessin, à part le 25 avril, les jours fériés sont les mêmes qu'en Italie. S'y ajoutent le 19 mars *(San Giuseppe)*, le 1er août (fête nationale), ainsi que les fêtes mobiles comme l'*Ascensione* (Ascension), *Lunedì di Pentecoste* (lundi de Pentecôte) et *Corpus Domini* (Fête-Dieu).

Salutations et bons vœux *Saluti e auguri*

Je vous souhaite...	**Le auguro...**	lé **aaou**gouro
Joyeux Noël!	**Buon Natale!**	bouonn na**taa**le
Bonne année!	**Buon Anno!**	bouonn **an**no
Joyeuses fêtes!	**Buone feste!**	**bouoo**né **fés**té
Joyeuses Pâques!	**Buona Pasqua!**	**bouoo**na **pas**koua
Bon anniversaire!	**Buon compleanno!**	bouonn kompléa**n**no
Meilleurs vœux!	**Tanti auguri!**	**tann**ti aou**goû**ri
Bonne chance!	**Buona fortuna!**	**bouoo**na for**toû**na
Bonnes vacances!	**Buone vacanze!**	**bouoo**né va**kann**tsé
Bon voyage!	**Buon viaggio!**	bouonn **vyad**djo
Merci, de même!	**Grazie, altrettanto!**	**graa**tsyé altrét**tann**to
Bonnes salutations de...	**Tanti saluti da...**	**tann**ti sa**loû**ti da

Quelle heure est-il? *Che ore sono?*

Excusez-moi. Pourriez-vous me dire l'heure qu'il est?	**Mi scusi. Può dirmi che ore sono?**	mi **skoû**zi pouo **dir**mi ké **oo**ré **soo**no
Il est une heure cinq.	**È l'una e cinque.**	é **loû**na é **tchinn**koué
Il est…	**Sono le…**	**soo**no lé
deux heures dix	**due e dieci**	**doû**é é **dyéé**tchi
trois heures et quart	**tre e un quarto**	tré é oun **kouar**to
quatre heures vingt	**quattro e venti**	**kouat**tro é **vén**ti
cinq heures vingt-cinq	**cinque e venti-cinque**	**tchinn**koué é vénti-**tchinn**koué
six heures et demie	**sei e mezza**	séy é **méd**dza
sept heures trente-cinq	**sette e trenta-cinque**	**set**té é trénta-**tchinn**koué
huit heures moins vingt	**otto meno venti**	**ot**to **méé**no **vén**ti
neuf heures moins quart	**nove meno un quarto**	**noo**vé **méé**no oun **kouar**to
dix heures moins dix	**dieci meno dieci**	**dyéé**tchi **méé**no **dyéé**tchi
onze heures moins cinq	**undici meno cinque**	**oun**ditchi **méé**no **tchinn**koué
douze heures (midi/minuit)	**dodici (mezzo-giorno/mezza-notte)**	**doo**ditchi (méddzo**djor**no/méddza**not**té)
Le train part à…	**Il treno parte alle…**	il **tréé**no **par**té **al**lé
13.04	**tredici e quattro**	**tréé**ditchi é **kouat**tro
0.40	**zero e quaranta**	**dzéé**ro é koua**rann**ta
à 1 heure/à 2 heures	**all'una/alle due**	al**loû**na/**al**lé **doû**é
vers 5 heures	**verso le cinque**	**vér**so lé **tchinn**koué
dans un quart d'heure	**fra un quarto d'ora**	fra oun **kouar**to **doo**ra
il y a une demi-heure	**mezz'ora fa**	méd**dzoo**ra fa
environ 2 heures	**circa due ore**	**tchir**ka **doû**é **oo**ré
plus de 20 minutes	**più di venti minuti**	pyou di **vén**ti mi**noû**ti
moins de 30 secondes	**meno di trenta secondi**	**méé**no di **trén**ta sé**konn**di
L'horloge avance/retarde.	**L'orologio è avanti/indietro.**	loro**loo**djo é a**vann**ti/inn**dyé**tro
Je suis désolé(e) d'être en retard.	**Mi dispiace di essere in ritardo.**	mi di**spyaa**tché di **ès**séré inn ri**tar**do

CHIFFRES, voir page 148

Écriteaux – Inscriptions *Cartelli e indicazioni*

Affittasi	A louer
Alta tensione	Haute tension
Aperto da ... a ...	Ouvert de ... à ...
Ascensore	Ascenseur
Attenti al cane	Attention au chien
Caldo	Chaud
Cassa	Caisse
Chiudere la porta	Fermez la porte, s.v.p.
Chiuso	Fermé
Chiuso per ferie/ per riposo settimanale	Fermé pour cause de vacances/ fermeture hebdomadaire
Completo	Occupé, complet
Divieto di balneazione	Baignade interdite
Entrare senza bussare	Entrez sans frapper
Entrata (libera)	Entrée (libre)
Freddo	Froid
Fuori servizio	Hors service
I trasgressori saranno puniti a norma di legge	Les contrevenants seront poursuivis
Informazioni	Renseignements
In vendita	A vendre
Libero	Libre
Non bloccare l'entrata	Laissez l'entrée libre
Non disturbare	Ne pas déranger
Non toccare	Ne pas toucher, s.v.p.
Occupato	Occupé
Pericolo (di morte)	Danger (de mort)
Pista per ciclisti	Piste cyclable
Pittura fresca	Peinture fraîche
Privato	Privé
Riservato	Réservé
Saldi	Soldes
Sciopero	Grève
Signore	Dames
Signori	Messieurs
Spingere	Poussez
Strada privata	Chemin privé
Suonare, per favore	Sonnez, s.v.p.
Svendita	Liquidation
Tirare	Tirez
Uscita (di sicurezza)	Sortie (de secours)
Vietato ...	Il est interdit de ...
Vietato ai minori di 16 anni	Interdit aux mineurs de moins de 16 ans
Vietato l'ingresso	Entrée interdite

Abréviations *Abbreviazioni*

a.	**arrivo**	arrivée
ab.	**abitanti**	habitants (population)
a.C.	**avanti Cristo**	avant J.-C.
A.C.I.	**Automobile Club d'Italia**	Automobile Club d'Italie
a.D.	**anno Domini**	anno Domini
alt.	**altitudine**	altitude
A.P.T.	**Azienda di Promozione Turistica**	Office de promotion du tourisme
ca.	**circa**	environ
C.I.T.	**Compagnia Italiana Turismo**	Office du tourisme
c.m.	**corrente mese**	courant (de ce mois)
C.P.	**casella postale**	case postale
C.so.	**Corso**	boulevard, rue
d.C.	**dopo Cristo**	après J.-C.
ecc.	**eccetera**	etc.
E.N.I.T.	**Ente Nazionale Italiano per il Turismo**	Office national italien de tourisme
F.F.S.	**Ferrovie Federali Svizzere**	Chemins de fer fédéraux (Suisse)
F.S.	**Ferrovie dello Stato**	Chemins de fer italiens
I.V.A.	**Imposta sul Valore Aggiunto**	T.V.A. (taxe à la valeur ajoutée)
L., Lit.	**Lira italiana**	lire (unité monétaire)
M.E.C.	**Mercato Comune Europeo**	Marché commun
p.	**partenza; pagina**	départ; page
P.T.	**Poste & Telecomunicazioni**	Postes et Télécommunications
P.za	**Piazza**	place
racc.	**raccomandata**	recommandé (poste)
R.A.I.	**Radio Audizioni Italiane**	Radio-Télévision italienne
Rep.	**Repubblica**	république
S./S.ta	**San(to)/Santa**	saint(e)
sec.	**secolo**	siècle
Sig.	**Signor**	monsieur
Sig.a	**Signora**	madame
Sig.na	**Signorina**	mademoiselle
S.p.a.	**Società per azioni**	SA (société anonyme)
S.r.l	**Società a responsabilità limitata**	société à responsabilité limitée
S.S.	**Sua Santità**	Sa Sainteté
T.C.I.	**Touring Club Italiano**	Touring Club d'Italie
V.le	**Viale**	avenue, boulevard
v.r.	**vedi retro**	tournez, s.v.p.
v.u.	**Vigili Urbani**	police municipale

Urgences *Emergenze*

Aidez-moi	**Mi aiuti**	mi a**yoû**ti
Allez vite chercher du secours	**Chiami dei soccorsi, presto**	**kyaa**mi déy sok**kor**si, **prés**to
Allez-vous-en	**Se ne vada**	sé né **vaa**da
APPELEZ UN MÉDECIN	**CHIAMI UN MEDICO**	**kyaa**mi oun **méé**diko
Ambassade	**Ambasciata**	ammba**chaa**ta
Ambulance	**Ambulanza**	ammbou**lann**tsa
Arrêtez cet homme	**Fermate quell'uomo**	fér**maa**té kouél**louoo**mo
ATTENTION	**ATTENZIONE**	attén**tsyoo**né
AU FEU	**AL FUOCO**	al **fouoo**ko
AU SECOURS	**AIUTO**	**ayoû**to
AU VOLEUR	**AL LADRO**	al **la**dro
Consulat	**Consolato**	konnso**laa**to
DANGER	**PERICOLO**	pé**rii**kolo
Dépêchez-vous	**Si affretti**	si af**frét**ti
Gaz	**Gas**	gaz
HALTE	**FERMATEVI**	fér**maa**tévi
Je me sens mal	**Mi sento male**	mi **sén**to **maa**lé
Je me suis égaré(e)	**Mi sono perso(a)**	mi **soo**no **pér**so(a)
Laissez-moi tranquille	**Mi lasci in pace**	mi **la**chi inn **paa**tché
Otez vos mains de là	**Tenga le mani a posto**	**tén**ga lé **maa**ni a **pos**to
POLICE	**POLIZIA**	poli**tsii**a
Pompiers	**Pompieri**	pomm**pyéé**ri
Vite	**Presto**	**prés**to

Appels urgents *Chiamate di emergenza*

Les numéros d'appel changent d'une ville à l'autre. Ils figurent par contre en premières pages des annuaires téléphoniques. Seuls deux numéros sont valables pour tout le pays:

Police (urgences de toute nature)	113
Secours routier (Automobile Club d'Italie)	116

Où est le téléphone le plus proche?	**Dov'è il telefono più vicino?**	do**vé** il té**léé**fono pyou vit**chii**no
C'est urgent.	**È urgente.**	é our**djén**té
Appelez la police!	**Chiami la polizia!**	**kyaa**mi la poli**tsii**a

ACCIDENTS DE VOITURE, voir page 79

Objets trouvés – Vol *Oggetti smarriti – Furto*

Il y a malheureusement bien peu de chances de retrouver un objet oublié ou perdu. Essayez tout de même de demander à la réception de votre hôtel de téléphoner au bureau des objets trouvés *(Oggetti smarriti)* ou passez-y vous-même. Les chauffeurs de bus et de taxi apportent souvent les objets trouvés à leur centrale.

Si vous êtes victime d'un vol, il vous faut immédiatement déposer plainte auprès de la police (*la polizia* ou *i carabinieri*). C'est indispensable pour votre assurance; vous aurez également besoin d'un double de votre déclaration pour le consulat en cas de vol de vos pièces d'identité.

Parlez-vous français/anglais/allemand?	**Parla francese/inglese/tedesco?**	**par**la frann**tchéé**zé/inn**ghléé**zé/té**dés**ko
Où est le poste de police?	**Dov'è il posto di polizia?**	do**vé** il **pos**to di poli**tsii**a
Où est le bureau des objets trouvés?	**Dov'è l'ufficio oggetti smarriti?**	do**vé** louf**fii**tcho od**djét**ti zmar**rii**ti
Je voudrais déclarer un vol.	**Voglio denunciare un furto.**	**voo**lyo dénoun**tchaa**ré oun **four**to
J'ai perdu…	**Ho perso…**	o **pér**so
On m'a volé…	**Mi hanno rubato…**	mi **an**no rou**baa**to
appareil de photo	**la macchina fotografica**	la **mak**kina foto**graa**fika
bagages	**i bagagli**	i ba**gaa**lyi
passeport	**il passaporto**	il passa**por**to
portefeuille	**il portafoglio**	il porta**foo**lyo
sac à main	**la borsetta**	la bor**sét**ta
Je l'ai oublié dans le bus/le taxi.	**L'ho lasciato nel-l'autobus/nel taxi.**	lo la**chaa**to nél**la**outobouss/nél **ta**xi
C'est un objet de valeur.	**È un oggetto di valore.**	é oun od**djét**to di va**loo**ré
Je n'ai plus d'argent.	**Non ho più denaro.**	nonn o pyou dé**naa**ro
Où est le consulat…?	**Dov'è il consolato…?**	do**vé** il konnso**laa**to
belge	**belga**	**bél**ga
français	**francese**	frann**tchéé**zé
suisse	**svizzero**	**svit**tséro

Résumé de grammaire

Articles

Il y a deux genres en italien, le masculin et le féminin.

1. Article défini (le, la, les)

masc. (sing.)	(plur.)
l' devant voyelle	**gli**
lo devant **z** ou **s** + consonne*	**gli**
il devant autres consonnes	**i**
l'amico (l'ami)	**gli amici** (les amis)
lo studente (l'étudiant)	**gli studenti** (les étudiants)
il treno (le train)	**i treni** (les trains)
fém. (sing.)	(plur.)
l' devant voyelle	**le**
la devant consonne	**le**
l'arancia (l'orange)	**le arance** (les oranges)
la casa (la maison)	**le case** (les maisons)

2. Article indéfini (un, une, des)

masc.: **un** (**uno** devant **z** ou **s** suivi d'une consonne*)

un negozio	un magasin
uno stadio	un stade

fém.: **una** (**un'** devant voyelle)

una strada	une rue
un'amica	une amie

3. Article partitif (du, de la, des)

Dans les phrases affirmatives et dans quelques interrogatives, du, de la, des s'expriment par **di + l'article défini,** ce qui donne les formes contractées suivantes (voir aussi p. 163):

* **s + consonne,** comme **sb, sg, sp, st,** etc. Quand un **s** est suivi d'une voyelle, le masculin est **il** (pluriel **i**) pour l'article défini et **un** pour l'article indéfini.

masc. (sing.)	(plur.)
dell' devant voyelle	**degli**
dello devant z ou s + consonne	**degli**
del devant les autres consonnes	**dei**

fém. (sing.)	(plur.)
dell' devant voyelle	**delle**
della devant consonne	**delle**

Noms

Les noms en **o** sont en général masculins. Au pluriel, **o** devient **i.**

il tavolo (la table) **i tavoli** (les tables)

Les noms en **a** sont en général féminins. Au pluriel, **a** devient **e.**

la casa (la maison) **le case** (les maisons)

Les noms en **e** sont ou féminins ou masculins (la seule solution consiste donc à les mémoriser). Au pluriel, **e** devient **i.**

il piede (le pied) **i piedi** (les pieds)
la notte (la nuit) **le notti** (les nuits)

Adjectifs

Ils s'accordent en genre et en nombre avec le nom qu'ils qualifient.

masc. (sing.)	(plur.)	**fém.** (sing.)	(plur.)
leggero (léger)	**leggeri**	**leggera** (légère)	**leggere**
grande (grand)	**grandi**	**grande** (grande)	**grandi**

Les adjectifs suivent en général le nom; certains, d'un usage courant, le précèdent:

un caro amico (un cher ami) **una strada lunga** (une longue rue)

Le comparatif se forme en mettant **più** devant l'adjectif, le superlatif en mettant **il più** (**la più, i più, le più**).

La casa è più grande che ... La maison est plus grande que ...
È la più grande. C'est la plus grande.

Adjectifs et pronoms démonstratifs

ce (celui-ci) — **questo** (**quest'** devant une voyelle)
cette (celle-ci) — **questa** (**quest'** devant une voyelle)
ces (ceux-ci/celles-ci) — **questi/queste** (pas d'élision)

Quel, quello, quella, etc. (celui-là, celle-là, etc.) suivent le même système que **del, dello, della,** etc. (voir p. 163).

Adjectifs possessifs* (mon, ma, mes, etc.)

Ils s'accordent en genre et en nombre avec les noms qu'ils qualifient. Ils sont utilisés avec l'article défini.

	masc.		fém.	
	sing.	plur.	sing.	plur.
mon/mes, ma/mes	**il mio**	**i miei**	**la mia**	**le mie**
ton/tes, ta/tes	**il tuo**	**i tuoi**	**la tua**	**le tue**
son/ses, sa/ses	**il suo**	**i suoi**	**la sua**	**le sue**
votre/vos (polit.)	**il suo**	**i suoi**	**la sua**	**le sue**
notre/nos	**il nostro**	**i nostri**	**la nostra**	**le nostre**
votre/vos	**il vostro**	**i vostri**	**la vostra**	**le vostre**
leur/leurs	**il loro**	**i loro**	**la loro**	**le loro**
votre/vos (polit.)	**il loro**	**i loro**	**la loro**	**le loro**

Pronoms personnels (je, tu, il, etc.)

sujet		objet direct	objet indirect	après préposition
je	**io**	**mi**	**mi**	**me**
tu	**tu**	**ti**	**ti**	**te**
il	**egli**	**lo**	**gli**	**lui**
elle	**ella**	**la**	**le**	**lei**
vous (polit.)	**lei**	**la**	**le**	**lei**
nous	**noi**	**ci**	**ci**	**noi**
vous	**voi**	**vi**	**vi**	**voi**
ils	**essi**	**li**	**loro**	**loro**
elles	**esse**	**le**	**loro**	**loro**
vous (polit.)	**loro**	**le**	**loro**	**loro**

*Il n'y a pas, en italien, de différence entre les adjectifs et les pronoms possessifs (le mien, le tien, le sien, etc.). Par conséquent, vous pouvez employer, en ce qui concerne les pronoms possessifs, le tableau ci-dessous.

Verbes

Nous vous recommandons d'apprendre le présent des deux auxiliaires:

		essere (être)	**avere** (avoir)
je	**io***	**sono**	**ho**
tu	**tu**	**sei**	**hai**
il/elle	**egli/ella**	**è**	**ha**
vous (polit.)	**lei**	**è**	**ha**
nous	**noi**	**siamo**	**abbiamo**
vous	**voi**	**siete**	**avete**
ils/elles	**essi/esse**	**sono**	**hanno**
vous (polit.)	**loro**	**sono**	**hanno**

Note: la forme de politesse est toujours utilisée avec la troisième personne (singulier ou pluriel) du verbe que l'on conjugue. Les adjectifs et les pronoms possessifs à employer pour la forme de politesse sont également ceux de la troisième personne.

Voici trois verbes réguliers appartenant aux trois principales conjugaisons:

	en **-are** **amare** (aimer)	en **-ere** **vendere** (vendre)	en **-ire** **partire** (partir)
io*	**amo**	**vendo**	**parto**
tu	**ami**	**vendi**	**parti**
egli/ella	**ama**	**vende**	**parte**
noi	**amiamo**	**vendiamo**	**partiamo**
voi	**amate**	**vendete**	**partite**
essi/esse	**amano**	**vendono**	**partono**

Voici le présent de l'indicatif de quatre verbes irréguliers d'un emploi fréquent:

*Les pronoms sujets sont rarement utilisés en italien, excepté dans des phrases de style emphatique.

	andare (aller)	potere (pouvoir)	volere (vouloir)	fare (faire)
io	**vado**	**posso**	**voglio**	**faccio**
tu	**vai**	**puoi**	**vuoi**	**fai**
egli/ella	**va**	**può**	**vuole**	**fa**
noi	**andiamo**	**possiamo**	**vogliamo**	**facciamo**
voi	**andate**	**potete**	**volete**	**fate**
essi/esse	**vanno**	**possono**	**vogliono**	**fanno**

Forme négative

La négation se forme en mettant **non** devant le verbe.

Non vado a Roma. Je ne vais pas à Rome.
Non vedo niente. Je ne vois rien.

Forme interrogative

En italien, on se contente souvent, pour questionner, de modifier l'intonation comme dans le français familier: tu viens?

Parla italiano. Elle parle italien.
Parla italiano? Parle-t-elle italien?

Prépositions

Vous en trouverez une liste à la page 14. Remarquez les contractions ci-dessous:

article défini	a (à, vers*)	da (par, de**)	di (de***)	in (dans)	su (sur)	con (avec)
il	**al**	**dal**	**del**	**nel**	**sul**	**col**
l'	**all'**	**dall'**	**dell'**	**nell'**	**sull'**	**con l'**
lo	**allo**	**dallo**	**dello**	**nello**	**sullo**	**con lo**
la	**alla**	**dalla**	**della**	**nella**	**sulla**	**con la**
i	**ai**	**dai**	**dei**	**nei**	**sui**	**coi**
gli	**agli**	**dagli**	**degli**	**negli**	**sugli**	**con gli**
le	**alle**	**dalle**	**delle**	**nelle**	**sulle**	**con le**

* direction ** provenance *** est fait de telle manière

Lexique
et index alphabétique

Français-Italien

m masculin *f* féminin *pl* pluriel

à a 14
abbaye abbazia *f* 81
abcès ascesso *m* 145
abeille ape *f* 139
abréviation abbreviazione *f* 156
abricot albicocca *f* 54
absent(e) assente 136
accepter accettare 62, 102
accessoires accessori *m/pl* 115, 126
accident incidente *m* 79, 139
accompagner accompagnare 96
achat acquisto *m* 131
achats, guide des guida degli acquisti *f* 97
acheter comprare 10, 17, 82, 86, 100
acier acciaio *m* 109
acteur/actrice attore *m*/attrice *f* 86
action *(titre)* azione *f* 131
addition conto *m* 62
adresse indirizzo *m* 21, 31, 79, 102
aéroport aeroporto *m* 21, 71
affaires affari *m/pl* 16, 131
Afrique Africa *f* 146
âge età *f* 150
agence de voyage agenzia di viaggi *f* 99
agenda agenda *f* 117
agneau agnello *m* 48
agrafe fermaglio *m* 117
agrandir *(photo)* ingrandire 126
agréable piacevole 31
aider aiutare 12, 21, 100, 103, 157
aigre agro(a) 61
aiguille ago *m* 27, 115
ail aglio *m* 45, 53
aimable gentile 95
aimer amare 162
albâtre alabastro *m* 106, 127
alcool alcool *m* 37, 59
alcool à brûler alcool metilico *m* 108
alcoolisé(e) alcolico(a) 59
Algérie Algeria *f* 146
aliment cibo *m* 37; alimento *m* 124
Allemagne Germania *f* 146
allemand tedesco(a) 158
aller andare 72, 73, 77, 88, 96, 163; *(vêtement)* andare bene 113
aller retour andata e ritorno 68, 71
aller simple andata 68, 71
allergique allergico(a) 141, 143
alliance *(bague)* fede nuziale *f* 105
allumette fiammifero *m* 107
alors allora 14
alphabet alfabeto *m* 8
alpinisme alpinismo *m* 90
altitude altitudine *f* 85, 156
amande mandorla *f* 52
ambassade ambasciata *f* 157
ambre ambra *f* 106
ambulance ambulanza *f* 79, 157
amener portare 95
amer amaro(a) 59, 61
Amérique du Nord America del Nord *f* 147
Amérique du Sud America del Sud *f* 147
ami/amie amico *m*/amica *f* 93, 95

ample largo(a) 113
amplificateur amplificatore *m* 104
ampoule *(électrique)* lampadina *f* 28, 75, 104; *(méd.)* vescica *f* 139
amuser, s' divertirsi 96
amygdales tonsille *f/pl* 138
an anno *m* 150
analgésique analgesico *m* 122, 140
ananas ananas *m* 52
anchois acciuga *f* 42, 46
ancien vecchio(a) 13
anesthésie anestesia *f* 144, 145
anglais inglese 158
Angleterre Inghilterra *f* 146
anguille anguilla *f* 45, 47
animal animale *m* 85
anisette anisetta *f* 59
année anno *m* 92, 150, 153
anniversaire compleanno *m* 152, 153
annuaire téléphonique elenco telefonico *m* 134
annuler annullare 71
antibiotique antibiotico *m* 143
antidépressif antidepressivo *m* 143
antiquaire antiquario *m* 98
antiquité antichità *f* 83
antiseptique antisettico(a) 122
août agosto *m* 151
apéritif aperitivo *m* 39, 56
à point *(viande)* a puntino 50
appareil apparecchio *m* 104, 125
appareil de photos macchina fotografica *f* 125, 158
appartement (de vacances) appartamento (per le vacanze) *m* 22
appel *(téléphonique)* telefonata *f* 136
appeler chiamare 21, 31, 79, 136, 157; *(tél.)* telefonare 136
appeler, s' chiamarsi 23, 92, 133
appendicite appendicite *f* 142
apporter portare 12, 38, 61
après dopo 13, 14, 77
après-midi pomeriggio *m* 152
arbre albero *m* 85
archéologie archeologia *f* 83
architecte architetto *m* 83
architecture architettura *f* 83
arène arena *f* 81
argent denaro *m* 102, 130, 158; *(métal)* argento *m* 105, 106
argenté argentato(a) 106
argenterie argenteria *f* 105
arrêt fermata *f* 67, 73
arrêt de bus fermata d'autobus *f* 19, 72, 73
arrêt sur demande fermata a richiesta *f* 73
arrêter, s' fermarsi 21, 67, 69, 72
arrivée arrivo *m* 16, 67, 71
arriver arrivare 67, 69, 130
art arte *f* 83
artichaut carciofo *m* 41, 51
article articolo *m* 100
articulation articolazione *f* 138
artificiel artificiale 125
artisanat artigianato *m* 83
artiste artista *m/f* 83
ascenseur ascensore *m* 26, 103, 155
Asie Asia *f* 147
asperge asparago *m* 51
aspirine aspirina *f* 122
asseoir, s' sedersi 95
assez abbastanza 13
assiette piatto *m* 36, 61, 109
assistance routière assistenza stradale *f* 78
assurance assicurazione *f* 79, 144
assurance maladie assicurazione malattie *f* 144
assurance tous risques assicurazione contro ogni rischio *f* 20
asthme asma *f* 141
athlétisme atletica *f* 89
attendre aspettare 21, 95
attention attenzione *f* 157
attirail de pêche arnesi da pesca *m/pl* 108
attraction attrazione *f* 88
auberge de jeunesse ostello della gioventù *m* 22
aubergine melanzana *f* 52
aujourd'hui oggi 29, 152
au revoir arrivederci 9
aussi anche 15
auteur autore *m* 86
auto-collant adesivo(a) 118
autobus autobus *m* 72
autocar pullman *m*, corriera *f* 72
automatique automatico(a) 18, 125, 134
automne autunno *m* 150
autoroute autostrada *f* 76
autostop, faire de l' fare l'autostop 74

autre altro(a) 57, 103
Autriche Austria *f* 146
avaler inghiottire 143
avant prima 13, 14
avec con 14
avertir avvertire 144
avion aereo *m* 71
avoir avere 12, 13, 162
avoir mal avere male 144
avril aprile *m* 151

B

bagage bagaglio *m* 18, 21, 26, 31, 70
bagages, chariot à carrello portabagagli *m* 18, 70
bague anello *m* 105
baignade balneazione *f* 91, 155
bain bagno *m* 23, 25
baisser *(chauffage)* abbassare 69
balcon balcone *m* 23; *(théâtre)* galleria *f* 88
ballet balletto *m* 87
ballon pallone *m* 128
banane banana *f* 54, 64
bandage élastique benda elastica *f* 122
banque banca *f* 18, 99, 129, 130
barbe barba *f* 31
baroque barocco(a) 83
barrette fermaglio *m* 124
bas basso(a) 14, 141, 151; *(en bas)* di sotto 14
bas calza da donna *f* 114
basilic basilico *m* 53
basketball pallacanestro *f* 89
bassin *(pour le lit)* padella *f* 144
bateau battello *m* 73, 74
bateau à moteur motoscafo *m* 74
bateau à rames barca a remi *f* 91
bâtiment edificio *m* 81, 83
batterie batteria *f* 75, 78
beau bello(a) 14, 84, 94
beaucoup molto(a) 13
bébé bambino *m*, bebè *m* 124
bécasse beccaccia *f* 50
beige beige 111
belge belga 18, 117, 130, 146, 158
Belgique Belgio *m* 134, 146
bénéfice profitto *m* 131
besoin, avoir avere bisogno 12, 29, 35, 130, 137
betterave barbabietola *f* 51
beurre burro *m* 37, 38, 63
biberon biberon *m* 124
bibliothèque biblioteca *f* 81, 99
bicyclette bicicletta *f* 74
bidon bidone *m* 78
bien bene 10, 25, 140
bientôt presto 9, 15
bière birra *f* 39, 59, 63
bifteck bistecca *f* 48
bigoudi bigodino *m* 124
bijou gioiello *m* 105, 127
bijouterie gioielleria *f* 98, 105
bikini bikini *m* 114
bilan bilancio *m* 131
billet biglietto *m* 68, 71, 73, 86, 87, 89; *(de banque)* banconota *f* 130
billets, guichet des biglietteria *f* 19, 66
biscotte fetta biscottata *f* 119
biscuit biscotto *m* 63
blaireau pennello da barba *m* 123
blanc bianco(a) 57, 111
blanchisserie lavanderia *f* 23, 29, 99
blessé ferito(a) 79
blesser, se ferirsi 139
blessure ferita *f* 139
bleu blu 111; *(ciel)* azzuro 111
bloc à dessins blocco da disegno *m* 118
bloc-notes blocco per appunti *m* 118
bloquer bloccare 126
blouse blusa *f* 114, 127
bœuf manzo *m* 48
boire bere 35, 36
bois legno *m* 127
boisson bevanda *f* 39, 56, 59, 60
boîte scatola *f* 118, 119
boîte aux lettres cassetta delle lettere *f* 132
boîte de nuit night-club *m* 88
boîte de peinture scatola di colori *f* 118
bon buono(a) 14, 35, 62, 96, 110, 153
bonbon caramella *f* 107, 117
bonjour buon giorno 9
bon marché buon mercato 14; economico(a) 125
bonnet de bain cuffia da bagno *f* 115
bonsoir buona sera 9
bosse bernoccolo *m* 139

LEXIQUE

Dizionario

botanique botanica *f* 83
botte stivale *m* 116
bouche bocca *f* 138, 142
boucherie macelleria *f* 98
boucle *(ceinture)* fibbia *f* 115
boucle d'oreille orecchino *m* 105
bouger muovere 139; dondolare 145
bougie candela *f* 75, 108
bouilli lesso(a) 47, 48, 50
bouillotte borsa dell'acqua calda *f* 27
boulangerie panetteria *f* 98
Bourse borsa valori *f* 81
boussole bussola *f* 108
bouteille bottiglia *f* 17, 56, 57, 119
bouton bottone *m* 29, 115
bouton de manchette gemello *m* 105
bouton-pression bottone a pressione *m* 115
bracelet braccialetto *m* 105
bracelet de montre braccialetto per orologio *m* 105
bras braccio *m* 138, 139
breloque braccialetto portafortuna *m* 105
bretelles bretelle *f/pl* 115
briquet *(cigarette)* accendino *m* 105, 107
broche *(bijou)* spilla *f* 105; *(pour gril)* spiedo *m* 50
brochet luccio *m* 46
broderie ricami *m/pl* 127
brosse à cheveux spazzola per capelli *f* 124
brosse à dents spazzolino da denti *m* 104, 123
brosse à ongles spazzolino da unghie *m* 123
brouillard nebbia *f* 94
brûlure bruciatura *f* 139
brun marrone 111
brushing asciugatura col fono *f* 30
bruyant rumoroso(a) 25
bungalow bungalow *m* 32
bureau ufficio *m* 66; *(de change)* ufficio cambio *m* 18, 66, 129; *(de location)* ufficio prenotazioni *m* 66
bureau de tabac tabaccheria *f* 98, 107
bus autobus *m* 19, 66, 72, 73, 158; pullman *m* 80

C

cabine cabina *f* 74, 91
cabine d'essayage cabina di prova *f* 113
cabine téléphonique cabina telefonica *f* 134
cabinet médical ambulatorio *m* 137
câble de remorquage corda per il traino *f* 78
cacahuète arachide *f* 54
cadeau regalo *m* 17, 118
cadenas lucchetto *m* 108
café caffè *m* 33, 38, 60, 61, 63
café en poudre caffè solubile *m* 63
cahier quaderno *m* 118
caille quaglia *f* 50
caisse cassa *f* 103, 155
calculatrice calcolatrice *f* 104
calendrier calendario *m* 118
calepin taccuino *m* 118
calmant sedativo *m* 122
calmar calamaro *m* 46
calme tranquillo(a) 23
camée cammeo *m* 105
caméra cinepresa *f* 125
caméra vidéo telecamera *f* 125
campagne campagna *f* 85
camper campeggiare 32
camping campeggio *m* 32, 108
camping, matériel de materiale di campeggio *m* 108
Canada Canada *m* 146
canal canale *m* 85
canard anitra *f* 50
canif temperino *m* 108
cannelle cannella *f* 53
canot à moteur motoscafo *m* 91
canot de sauvetage canotto di salvataggio *m* 74
caoutchouc gomma *f* 116
capital capitale *m* 131
câpre cappero *m* 53
car pullman *m*, corriera *f* 72
carafe caraffa *f* 57
carat carato *m* 105
caravane roulotte *f* 32
carburateur carburatore *m* 78
cardigan golf *m* 114
carnet d'adresses agenda per gli indirizzi *f* 118
carnet de tickets blocchetto di biglietti *m* 72
carotte carota *f* 51
carré quadrato(a) 100
carrefour incrocio *m* 77

carte carta *f*, cartolina *f* 117, 118; *(restaurant)* menù *m* 36, 39; *(des vins)* lista dei vini *f* 36, 57; *(de visite)* bigliettino *m* 131
carte de crédit carta di credito *f* 20, 31, 62, 102, 130
carte d'identité carta d'identità *f* 16
carte à jouer carta da gioco *f* 118
carte postale cartolina *f* 107, 118, 132
carte routière carta stradale *f* 76, 117
cartouche *(cigarettes)* stecca (di sigarette) *f* 17, 107
casquette berretto *m* 115
cassé rotto(a) 29, 104, 139, 140, 145
casser rompere 120
casserole casseruola *f* 108
cassette cassetta *f* 127
cassis ribes nero *m* 54
catacombe catacomba *f* 81
catalogue catalogo *m* 82
cathédrale cattedrale *f* 81
catholique cattolico(a) 84
caution cauzione *f* 20
ce questo(a) 161
ceinture cintura *f* 115, 127, 142
ceinture de sauvetage cintura di salvataggio *f* 74
ceinture de sécurité cintura di sicurezza *f* 75
céleri sedano *m* 52
célibataire scapolo *m*/nubile *f* 93
celui-ci questo(a) 161
celui-là quello(a) 161
cendrier portacenere *m* 27, 36
cent cento 149
centimètre centimetro *m* 113
centre centro *m* 19
centre des affaires quartiere degli affari *m* 81
centre-ville centro città *m* 21, 73, 81
céramique ceramica *f* 83, 127
céréales cereali *m/pl* 38
cerise ciliegia *f* 54
certificat certificato *m* 144
chaîne *(chaînette)* catenina *f* 105
chaise sedia *f* 36, 108
chaise longue sdraio *m* 91, 108
chaise pliante sedia pieghevole *f* 108
châle scialle *m* 115
chaleur caldo *m* 94
chambre camera *f* 19, 23, 24, 25, 26, 28
chambre à un lit camera singola *f* 19, 23
chambre à deux lits camera doppia *f* 19, 23
champ campo *m* 85
champagne champagne *m* 57
champignon fungo *m* 42, 45, 52
chance fortuna *f* 153
chandail maglione *m* 114
change cambio *m* 18, 129, 130
change, bureau de ufficio cambio *m* 18, 66, 129
changer cambiare 18, 67, 71, 73, 75, 130
chanson canzone *f* 128
chanter cantare 87
chapeau cappello *m* 115
chapelet rosario *m* 105
chapelle cappella *f* 81
chaque ogni 143
charbon de bois carbone di legna *m* 108
charcuterie *(magasin)* salumeria *f* 98; *(à manger)* affettato *m* 41
chariot à bagages carrello portabagagli *m* 18, 70
chasse caccia *f* 90
chasse, permis de licenza di caccia *f* 90
châtaigne castagna *f* 54
château castello *m* 81
chaud caldo(a) 13, 25, 38, 39, 100, 155
chauffage riscaldamento *m* 23, 28, 69
chauffer riscaldare 90
chaussette calzino *m* 114
chaussure scarpa *f* 116
chaussure de gymnastique scarpa da ginnastica *f* 116
chaussure de marche scarpa da passeggio *f* 116
chaussure de tennis scarpa da tennis *f* 116
chaussures, magasin de negozio di scarpe *m* 98, 116
chef *(de cuisine)* chef *m* 40; *(d'orchestre)* maestro *m* 87
chemin sentiero *m* 85; strada *f* 76, 155
chemise camicia *f* 114

chemise de nuit camicia da notte *f* 114
chèque assegno *m* 130, 131
chèque de voyage traveller's cheque *m* 62, 102, 130
cher caro(a) 14, 24, 100
chercher cercare 13, 100
cheveu capello *m* 30, 124
cheville caviglia *f* 138, 139
chevreuil capriolo *m* 50
chewing-gum gomma da masticare *f* 107
chez da 14
chicorée cicoria *f* 52
chien cane *m* 139, 155
chiffre numero *m* 125, 148
Chine Cina *f* 146
chirurgien chirurgo *m* 144
chocolat cioccolato *m* 55, 107, 119; *(chaud)* cioccolata (calda) *f* 38, 61
chou cavolo *m* 51
chou-fleur cavolfiore *m* 51
choux de Bruxelles cavolini di Bruxelles *m/pl* 51
chronomètre cronometro *m* 106
chute caduta *f* 139
chute d'eau cascata *f* 85
ciboulette cipollina *f* 53
ciel cielo *m* 94
cigare sigaro *m* 107
cigarette sigaretta *f* 17, 95, 107
cimetière cimitero *m* 81
cinéma cinema *m* 86, 96
cinq cinque 148
cinquante cinquanta 148
cinquième quinto(a) 150
cintre attaccapanni *m* 27
circulation traffico *m* 79
ciseaux forbici *f/pl* 108
ciseaux à ongles forbicine da unghie *f/pl* 123
citron limone *m* 37, 38, 54, 55
clair chiaro(a) 101, 111
classe classe *f* 68, 69, 71
classeur classificatore *m* 118
classique classico(a) 100, 128
clavicule clavicola *f* 138
clef chiave *f* 26
climatisation condizionatore d'aria *m* 28
cloître chiostro *m* 81
clou chiodo *m* 108
cœur cuore *m* 138
coffre-fort cassaforte *f* 26
coffret à bijoux portagioielli *m* 105
cognac cognac *m* 59
coiffeur *(dames)* parrucchiere *m* 30, 99; *(messieurs)* barbiere *m* 99
coin angolo *m* 21, 36
col collo *m* 114; *(montagne)* passo *m* 85
collants collant *m* 114
colle colla *f* 118
collier collana *f* 105
colline collina *f* 85
colonne vertébrale spina dorsale *f* 138
combien quanto(a) 10, 24, 101
combien de temps quanto tempo 24, 26
comédie commedia *f* 86
comédie musicale commedia musicale *f* 86
commande ordinazione *f* 102
commander ordinare 36, 61, 102, 103
commencer cominciare 84; iniziare 86
comment come 10
commission commissione *f* 130
communication *(tél.)* chiamata *f*, telefonata *f* 135, 136
compartiment scompartimento *m* 71
complet esaurito(a) 88; completo(a) 23, 155
complet *(costume)* completo da uomo *m* 114
comprendre capire 11, 16, 101, 135
comprimé compressa *f* 143
compris *(inclus)* compreso(a) 20, 24, 31, 32, 62, 80
compte conto *m* 130
concert concerto *m* 86, 87
concombre cetriolo *m* 52
conduire *(à)* portare a 21, 66
confirmation conferma *f* 23
confirmer confermare 71
confiserie confetteria *f* 98
confiture marmellata *f* 38, 119
congé, jour de giorno di riposo *m* 152
congrès congresso *m* 81
congrès, maison des centro dei congressi *m* 81
connaître conoscere 96, 110
conseiller consigliare 36
consigne à bagages deposito bagagli *m* 18, 66, 70

constipation costipazione *f* 121
constipé costipato(a) 140
construire costruire 83
consulat consolato *m* 157, 158
consultation *(médecin)* consultazione *f* 137
consulter consultare 142
contagieux contagioso(a) 142
contenir contenere 37
contournement circonvallazione *f* 79
contraire contrasto *m* 13
contrat contratto *m* 131
contre contro 14
contrôle controllo *m* 16, 142
contrôler controllare 75
contusion contusione *f* 139, 140
corail corallo *m* 106
corde corda *f* 108
cordonnier calzolaio *m* 99
cornichon cetriolino *m* 64
corps corpo *m* 138
correct giusto(a) 11
correspondance *(transports)* coincidenza *f* 67, 71
cosmétiques cosmetici *m/pl* 123
costume tailleur *m* 114
costume de bain costume da bagno *m* 114
côte costola *f* 138
côté lato *m* 30
côté, à accanto a 14, 77
côtelette braciola *f*, costoletta *f* 48
coton cotone *m* 112; *(hydrophile)* cotone idrofilo *m* 122
cou collo *m* 138
couchette cuccetta *f* 68, 70
coude gomito *m* 138
coudre cucire 29
couleur colore *m* 101, 111, 116, 125
coup de soleil colpo di sole *m* 121
coupe *(cheveux)* taglio di capelli *m* 30
coupe-ongles taglia unghie *m* 123
couper tagliare 30, 139
coupure taglio *m* 139
courant corrente *f* 28, 91
courge zucca *f* 52
courgette zucchino *m* 52
courrier posta *f* 28, 133
courroie de ventilateur cinghia del ventilatore *f* 75
cours corso *m* 16
cours du change corso del cambio *m* 18, 130
course d'automobiles corsa automobilistica *f* 89
course de chevaux corsa di cavalli *f* 89
course cycliste corsa ciclistica *f* 89
court corto(a) 30, 100, 101, 113, 114
court de tennis campo da tennis *m* 90
cousin/cousine cugino *m*/cugina *f* 93
couteau coltello *m* 37, 61
coûter costare 19, 67, 80, 89, 101, 133
couturière sarta *f* 99
couvent convento *m* 81
couvert coperto *m* 62, 90
couverts posate *f/pl* 105, 108
couverture coperta *f* 27
crabe granchio *m* 46
crampe crampo *m* 141
cravate cravatta *f* 115, 127
crayon matita *f* 118
crayon de couleur matita colorata *f* 118
crayon pour les yeux matita per occhi *f* 123
crédit credito *m* 131
crème crema *f* 55, 123; panna *f* 61, 64; *(Chantilly)* panna montata *f* 55
crème à chaussures lucido *m* 116
crème démaquillante crema detergente *f* 123
crème hydratante crema idratante *f* 123
crème de jour crema da giorno *f* 123
crème pour les mains crema per le mani 123
crème de nuit crema da notte *f* 123
crémerie latteria *f* 98
crevette gamberetto *m* 46
crise cardiaque attacco cardiaco *m* 141
cristal cristallo *m* 106
croire credere 31, 62; *(penser)* pensare 102
croisière crociera *f* 74
croissant cornetto *m* 38
croix croce *f* 105
cru crudo(a) 41, 63

crustacé crostaceo *m* 40
cube de glace cubetto di ghiaccio *m* 27
cuillère cucchiaio *m* 37, 61, 109
cuillère à café cucchiaino *m* 109, 143
cuir pelle *f* 112, 116
cuisine cucina *f* 34
cuisse coscia *f* 138
cuit cotto(a) 41, 61, 63
cuivre rame *m* 106
culotte mutande *f/pl* 114
culte funzione *f* 84
cumin cumino *m* 53
cure-pipe curapipe *m* 107
cyclisme ciclismo *m* 90
cystite cistite *f* 142

D

daim renna *f* 112, 116
dame signora *f* 155; donna *f* 110
Danemark Danimarca *f* 146
danger pericolo *m* 155, 157
dangereux pericoloso(a) 79, 91
dans in 14
danser ballare 88, 96
date data *f* 25, 152
date de naissance data di nascita *f* 25
datte dattero *m* 54
de di, da 14, 163
dé dado *m* 128; *(à coudre)* ditale *m* 115
déboîté distorto(a) 140
début inizio *m* 150
décaféiné decaffeinato(a) 38, 61
décembre dicembre *m* 150
déchirer strappare 28; *(méd.)* lacerare 140
décision decisione *f* 25, 101
déclaration *(douane)* dichiarazione *f* 133
déclarer *(douane)* dichiarare 17; *(à la police)* denunciare 158
décoller *(avion)* partire 71
dedans dentro 13
déduire dedurre 101
dehors fuori 13; all'aperto 36
déjà già 15
déjeuner pranzo *m* 34, 80, 94
demain domani 29, 96, 152
demander chiedere 25, 76, 136
démarrer partire 78
demi mezzo(a) 80, 119, 149
demi-heure mezz'ora *f* 154
demi-pension mezza pensione *f* 24
demi-tarif metà tariffa *f* 68
dent dente *m* 145
dentelle merletto *m* 112
dentier dentiera *f* 145
dentifrice dentifricio *m* 123
dentiste dentista *m* 145
déodorant deodorante *m* 123
dépanneuse carro attrezzi *m* 78
départ partenza *f* 31, 67, 71
dépêcher, se affrettarsi 156
dépenser spendere 101
dépilatoire prodotto depilatorio *m* 123
déposer depositare 26, 70
dépôt *(banque)* deposito *m* 130
depuis da 14, 92
déranger disturbare 95, 155
dernier ultimo(a) 14, 68
derrière dietro 15, 30, 77, 145
descendre scendere 73
description descrizione *f* 100
déshabiller, se spogliarsi 142
désinfectant disinfettante *m* 122; antisettico *m* 140
désirer desiderare 23, 35, 103
désolé(e)! mi dispiace! 154
désolé, être essere spiacente 88
dessert dessert *m*/dolce *m* 35, 37, 39, 40, 55
dessous, au sotto 14
dessus, au sopra 14
détachant smacchiatore *m* 29
deux due 148
deux fois due volte 150
deuxième secondo(a) 68, 69, 150
devant davanti (a) 15, 145
développement sviluppo *m* 126
déviation deviazione *f* 79
devis preventivo *m* 131
devoir dovere 31, 95, 144
diabétique diabetico(a) 37, 141
diamant diamante *m* 106
diapositive diapositiva *f* 125
diarrhée diarrea *f* 140
dictionnaire dizionario *m* 11, 117
diesel *(carburant)* gasolio *m* 75
diététique, magasin de negozio di cibi dietetici *m* 98
difficile difficile 14
difficulté difficoltà *f* 102
digitale digitale 106
dimanche domenica *f* 82, 87, 151
dinde tacchino *m* 51
dîner cena *f* 34

E

épingle de sûreté spillo di sicurezza *m* 115
éponge spugna *f* 112
épouvantable spaventoso(a) 84
éprouver sentire 140
équipe *(sport)* squadra *f* 89
équipement equipaggiamento *m* 91
équipement de plongée equipaggiamento subacqueo *m* 91
équitation equitazione *f* 90
erreur errore *m* 31, 61, 62, 102
éruption *(méd.)* esantema *m* 139
escalier scala *f* 103
escalier mécanique scala mobile *f* 103
escalope scaloppina *f* 48
Espagne Spagna *f* 147
essayage prova *f* 113
essayer provare 113
essence benzina *f* 75, 78, 107
essuie-glace tergicristallo *m* 76
est est *m* 77
estomac stomaco *m* 130
estragon targone *m* 53
et e 15
étage piano *m* 27, 103
étagère scaffale *m* 119
étain peltro *m* 106
étang stagno *m* 85
Etats-Unis Stati Uniti *m/pl* 147
été estate *f* 151
étendre, s' sdraiarsi 142
éthnologie etnologia *f* 83
étiquette etichetta *f* 118
étoile stella *f* 94
étrange strano(a) 84
étranger straniero(a) 59, 102
étranger, à l' all'estero 133
être essere 12, 13, 161
étroit stretto(a) 101, 116
étudiant/étudiante studente *m*/ studentessa *f* 82, 93
étudier studiare 93
étui astuccio *m* 120, 126
eurochèque eurocheque *m* 102, 130
Europe Europa *f* 147
éviter evitare 37
excursion escursione *f* 65; gita *f* 80
excuser, s' scusarsi 9, 16, 154
expliquer spiegare 11
exposition esposizione *f* 81
exprès espresso(a) 132
expression espressione *f* 12, 100

F

fabrique fabbrica *f* 81
face, en di fronte 77
facile facile 14, 113
facture fattura *f* 131
faim fame *f* 12, 35
faire fare 163
faire escale *(bateau)* sbarcare 74
faisan fagiano *m* 50
fait main fatto a mano 113
fait maison (alla) casalinga 40
falaise scogliera *f* 85
falloir *(temps)* volerci 76, 79, 113
famille famiglia *f* 93, 144
fantaisie fantasia *f* 127
fantastique fantastico(a) 84
farci farcito(a) 50
fard à joue trucco per le guance *m* 123
fard à paupières ombretto *m* 123
farine farina *f* 37
fatigué stanco(a) 12
faux sbagliato(a) 14, 135, 136
femme donna *f* 110; *(épouse)* moglie *f* 10, 93
femme de chambre cameriera *f* 27
fenêtre finestra *f* 28, 36; finestrino *m* 68, 69
fenouil finocchio *m* 52
fer à repasser ferro da stiro *m* 104
ferme fattoria *f* 85
fermé chiuso(a) 14, 155
fermer chiudere 10, 82, 129, 132, 155
fermeture éclair cerniera *f* 115
ferry traghetto *m* 73
fête festa *f* 153
feu fuoco *m* 156; *(circulation)* semaforo *m* 77
feutre feltro *m* 112
février febbraio *m* 151
ficelle spago *m* 108, 118
fièvre febbre *f* 121, 140
figue fico *m* 54
fil filo *m* 27, 115
filet filetto *m* 48
fille figlia *f* 93
fille(tte) bambina *f* 110, 128
film film *m* 86; pellicola *f* 125, 126
film en couleurs pellicola a colori *f* 125
film-disque pellicola «disc» *f* 125

fils figlio *m* 93
filtre filtro *m* 107, 126
fin fine *f* 151, 152
fin de semaine fine settimana *m*, weekend *m* 152
fines herbes erbe aromatiche *f/pl* 53
Finlande Finlandia *f* 147
fixatif fissatore *m* 30; lozione fissativa *f* 124
flash flash *m* 126
fleur fiore *m* 85
fleuriste fiorista *m* 98
foie fegato *m* 48, 138
foire fiera *f* 81
fois volta 95, 142, 143, 150
foncé scuro(a) 101, 110
fonctionner funzionare 28, 104
fond de teint fondo tinta *m* 123
fontaine fontana *f* 81
football calcio *m* 89
forêt bosco *m* 85
format formato *m* 125
forme forma *f* 101
formulaire modulo *m* 133
fort forte 107, 135, 143
forteresse fortezza *f* 81
foulard foulard *m* 115
fouler slogare 140
four forno *m* 50
fourchette forchetta *f* 37, 61, 109
fourreur pellicceria *f* 98
fourrure, manteau de pelliccia *f* 114
frais fresco(a) 54, 61
frais spesa *f* 131
fraise fragola *f* 54, 55
framboise lampone *m* 54, 55
franc franco *m* 18, 130
français francese 10, 18, 80, 82, 117, 146
France Francia *f* 134, 146, 147
frange frangia *f* 30
frappé frullato di latte *m* 60
frapper bussare 155
frein freno *m* 78
frein à main freno a mano *m* 78
frère fratello *m* 93
fresque affresco *m* 83
frisson brivido *m* 140
frit fritto(a) 47
frites patatine fritte *f/pl* 63
froid freddo(a) 14, 25, 38, 40, 61, 94
fromage formaggio *m* 38, 53, 63
fruit frutta *f* 54, 55
fruits de mer frutti di mare *m/pl* 41, 46
fumé affumicato(a) 41, 47
fumer fumare 95
furoncle foruncolo *m* 139
fusible fusibile *m* 104

G

gaine guaina *f*, busto *m* 114
galerie *(d'art)* galleria d'arte *f* 81, 99; *(théâtre)* loggione *m* 88
gant guanto *m* 115, 127
garage garage *m* 26, 78
garçon bambino *m* 110, 128; *(restaurant)* cameriere *m* 36
garde d'enfants baby-sitter *f* 27
gardien de plage bagnino *m* 90
gare stazione (ferroviaria) *f* 19, 21, 66
gare routière stazione dei pullman *f* 72
garer *(parquer)* parcheggiare 26, 77
gargarisme liquido per gargarismi *m* 122
garniture *(plat)* contorno *m* 40
gastrite gastrite *f* 142
gâteau dolce *m* 37, 55; torta *f* 55
gauche sinistro(a) 13, 21, 30, 77
gaz gas *m* 32, 107, 108, 157
gaz butane gas butano *m* 32, 108
gaze garza *f* 122
gel gelo *m* 94; *(cheveux)* gel *m* 30, 124
gencive gengiva *f* 145
général generale 26
généraliste *(médecin)* medico generico *m* 137
genou ginocchio *m* 138
genre genere *m* 86, 140
gens gente *f* 92
géologie geologia *f* 83
gibier cacciagione *f* 39, 40, 47; selvaggina *f* 51
gigot cosciotto *m* 48
gilet gilè *m* 114; *(en tricot)* golf *m* 114
glace ghiaccio *m* 56, 92, 94; gelato *m* 55, 64; *(miroir)* specchio *m* 120
glacière borsa termica *f* 108
gobelet bicchiere *m* 109
golf golf *m* 90
gomme gomma *f* 118
gorge gola *f* 138

gothique gotico(a) 83
gourde borraccia *f* 108
goûter assaggiare 57
goutte goccia *f* 122
gouttes pour le nez gocce nasali *f/pl* 122
gouttes pour les oreilles gocce per le orecchie *f/pl* 122
gouttes pour les yeux gocce per gli occhi *f/pl* 122
graisse grasso *m* 37
grammaire grammatica *f* 117, 159
gramme grammo *m* 119
grand grande 14, 20, 25, 101, 110, 116
grand magasin grande magazzino *m* 98, 100, 103
grand-mère nonna *f* 93
grand-père nonno *m* 93
gras grasso(a) 30, 123, 124
Grèce Grecia *f* 147
grêle grandine *f* 94
grève sciopero *m* 68, 155
gril griglia *f* 108
grillé alla griglia 47, 50; *(ampoule)* bruciato(a) 28
grippe influenza *f* 141, 142
gris grigio(a) 111
groseille à maquereau uva spina *f* 54
groseille rouge ribes *m* 54
grotte caverna *f* 85
groupe gruppo *m* 82, 93
guêpe vespa *f* 139
guichet sportello *m* 132, 133; *(billets)* biglietteria *f* 19, 66
guide guida *f* 80, 82, 117
guide de voyage guida turistica *f* 117
gynécologue ginecologo *m* 137, 141

H

habillement abbigliamento *m* 110
habit abito *m* 114
habitant abitante *m* 156
habiter abitare 93, 146
habituel abituale 143
hamac amaca *f* 108
handicapé andicappato(a) 82
haricot *(blanc)* fagiolo *m* 52; *(vert)* fagiolino *m* 52
haut alto(a) 14, 116, 155
haut, en di sopra 14; in alto 145
haut-parleur altoparlante *m* 104
hélicoptère elicottero *m* 74
herbe erba *f* 53
heure ora *f* 77, 80, 90, 143, 154
heure, à l' in orario 67
heures d'ouverture orario d'apertura *m* 82
heures de visite orario di visita *m* 144
hier ieri 152
histoire storia *f* 83
histoire naturelle storia naturale *f* 83
hiver inverno *m* 151
homéopathique omeopatico(a) 121
homme uomo *m* 110
honoraires onorario *m* 144
hôpital ospedale *m* 142, 144
horaire orario *m* 68
horloge orologio *m* 106, 153
horloger orologiaio *m* 99
horlogerie orologeria *f* 105
horrible orribile 84
hors d'œuvre antipasto *m* 41
hors service fuori servizio 155
hôtel hotel *m*, albergo *m* 19, 22, 80, 102
hôtel, réservation d' prenotazione d'albergo *f* 19
hôtel de ville municipio *m* 81
hôtels, liste des elenco degli alberghi *m* 19
huile olio *m* 37, 64, 75
huile solaire olio solare *m* 123
huit otto 148
huître ostrica *f* 41, 46
hydroglisseur aliscafo *m* 74
hypothèque ipoteca *f* 131

I

ici qui 14
il egli, lui 161
image immagine *f* 117
immédiatement subito 31
imperméable impermeabile *m* 114
important importante 13
importé importato(a) 112
impressionnant impressionante 84
indicatif *(téléphonique)* prefisso *m* 134
indigestion indigestione *f* 121, 140
indiquer indicare 12; consigliare 145

infecté infetto(a) 140
infection infezione *f* 145
inférieur inferiore 68
infirmière infermiera *f* 144
inflammation infiammazione *f* 142
inflation inflazione *f* 131
information, bureau d' ufficio informazioni *m* 66
infroissable ingualcibile 113
injection iniezione *f* 143, 144
insecte insetto *m* 139
insecticide insetticida *m* 122
insolation colpo di sole *m* 141
instant attimo *m* 12, 136
institut de beauté istituto di bellezza *m* 30, 99
interdire vietare 155
interdit vietato(a) 79; divieto 91, 155
intéressant interessante 84
intéresser, s' interessarsi 83, 96
intérêt *(banque)* interesse *m* 131
international internazionale 133, 134
interprète interprete *m/f* 131
interrompre interrompere 67
interrupteur interruttore *m* 29
intestin intestino *m* 138
intoxication alimentaire avvelenamento da cibi *m* 142
invitation invito *m* 94
inviter invitare 94
Irlande Irlanda *f* 147
Italie Italia *f* 147
italien italiano(a) 10, 95, 110, 117
ivoire avorio *m* 106

J

jamais mai 15
jambe gamba *f* 138
jambon prosciutto *m* 41, 48, 63, 119
janvier gennaio *m* 151
Japon Giappone *m* 147
jaquette giacca *f* 114
jardin giardino *m* 81, 85
jardin botanique giardino botanico *m* 81
jardinière de légumes verdura mista *f* 52
jaune giallo(a) 111
jaunisse itterizia *f* 142
je io 161
jeans jeans *m/pl* 114
jeans, toile de tessuto jeans *m* 112
jerricane bidone per la benzina *m* 78
jeton *(tél.)* gettone *m* 134
jeu gioco *m* 128
jeu de cartes gioco di carte *m* 128
jeudi giovedì *m* 151
jeune giovane 14
joli bello(a) 25
jouer giocare 89; *(instrument)* suonare 87
jouet giocattolo *m* 128
jouets, magasin de negozio di giocattoli *m* 98, 128
jour giorno *m* 16, 20, 32, 151
jour férié giorno festivo *m* 152, 153
jour ouvrable giorno feriale *m* 152
journal giornale *m* 117
journée giornata *f* 80, 94
juillet luglio *m* 151
juin giugno *m* 151
jumelles binocolo *m* 120
jupe gonna *f* 114
jupon sottogonna *f* 114
jus succo *m* 37, 38, 60
jus de fruits succo di frutta *m* 37, 60
jus d'orange succo d'arancia *m* 38, 60
jus de pomme succo di mele *m* 60
jus de tomate succo di pomodoro *m* 60
jusqu'à fino a 15
juste giusto(a) 12, 14

K

kilo chilo *m* 119
kilométrage chilometraggio *m* 20
kilomètre chilometro *m* 20, 76
kiosque à journaux edicola *f* 66, 98, 117

L

la il, lo, la 159
là là 14
là-bas laggiù 77
lac lago *m* 23, 85, 90
lacet laccio *m* 116
laid brutto(a) 14, 84
laine lana *f* 112

laisser lasciare 96, 156
lait latte *m* 38, 60, 61, 119
laiterie latteria *f* 98
laitue lattuga *f* 52
lame de rasoir lametta da barba *f* 123
lampe lampada *f* 29, 104, 108
lampe de poche lampadina tascabile *f* 104, 108
lange pannolino *m* 124
langue lingua *f* 48, 138
lapin coniglio *m* 50
laque lacca *f* 31, 124
laquelle quale 10
lard pancetta *f* 48
large largo(a) 101, 116
laurier lauro *m* 53
lavabo lavandino *m* 28
lavage lavaggio *m* 113
laver lavare 29, 76, 113
laxatif lassativo *m* 122
le il, lo, la 159
léger leggero(a) 14, 57, 100
légume verdura *f* 40, 51
lent lento(a) 14
lentement lentamente 11, 135; piano 21
lentille lenticchia *f* 52
lequel quale 10
les i, gli, le 159
lessive, poudre à detersivo *m* 108
lettre lettera *f* 132
lettre de crédit lettera di credito *f* 130
lettre de recommandation lettera di presentazione *f* 130
lever, se alzarsi 144
lèvre labbro *m* 124
Liban Libano *m* 147
librairie libreria *f* 98, 117
libre libero(a) 14, 23, 69, 70, 96
lieu luogo *m* 25
lieu de naissance luogo di nascita *m* 25
lièvre lepre *f* 50
ligne linea *f* 136
lime *(à ongles)* lima (da unghie) *f* 123
limonade limonata *f* 60, 64
lin lino *m* 112
linge biancheria *f* 29
liqueur liquore *m* 59
liquide liquido *m* 120
lire leggere 40
lire *(argent)* lira *f* 101, 129, 130
liste elenco *m* 19
lit letto *m* 23, 24, 142, 144
lit de camp letto da campeggio *m* 108
litre litro *m* 57, 119
littérature letteratura *f* 83
livraison consegna *f* 102
livre libro *m* 11, 117; *(poids)* mezzo chilo *m* 119
livre d'enfants libro per bambini *m* 117
livre de poche libro tascabile *m* 117
livrer consegnare 102
local locale 36, 83
location de bicyclettes noleggio biciclette *m* 74
location, bureau de ufficio prenotazioni *m* 66
location de voitures autonoleggio *m* 20
loin lontano(a) 14, 66, 76
long lungo(a) 100, 101, 113, 114
lotion lozione *f* 123, 124
lotion capillaire lozione per i capelli *f* 124
louer noleggiare 19, 20, 74, 91; *(appartement)* affittare 32, 155
loupe lente d'ingrandimento *f* 120
lourd pesante 14
lumière luce *f* 28; *(de jour)* luce naturale *f* 125
lundi lunedì *m* 151
lune luna *f* 94
lunettes occhiali *m/pl* 120
lunettes de soleil occhiali da sole *m/pl* 120

M

ma il mio, la mia 161
machine macchina *f* 27, 104; *(à laver)* lavatrice *f* 113
machine à cafè macchina per fare il caffè *f* 104
machine à écrire macchina per scrivere *f* 27
mâchoire mascella *f* 138
Madame signora *f* 9, 156
Mademoiselle signorina *f* 9, 36
magasin negozio *m* 98
magasin d'alimentation negozio di alimentari *m* 32, 98, 119
magasin de chaussures negozio di scarpe *m* 98, 116
magasin diététique negozio di cibi dietetici *m* 98

magasin de jouets negozio di giocattoli *m* 98, 128
magasin de souvenirs negozio di oggetti ricordo *m* 98, 127
magasin de vêtements negozio di abbigliamento *m* 98, 110
magnétophone registratore a cassette *m* 104
magnétoscope video registratore *m* 104
magnifique magnifico(a) 84
mai maggio *m* 151
maillet mazza *f* 108
maillot de bain costume da bagno *m* 114
maillot de corps canottiera *f* 114
main mano *f* 138
maintenant adesso 15
mais ma, però 15
maison casa *f* 22, 40, 83
maison de vacances casa per le vacanze *f* 22
maître d'hôtel capo cameriere *m* 62
mal, faire fare male 139, 145
mal aux dents mal di denti *m* 145
mal au dos mal di schiena *m* 141
mal à l'estomac mal di stomaco *m* 121, 141
mal à la gorge mal di gola *m* 141
mal aux oreilles mal d'orecchi *m* 141
mal de tête mal di testa *m* 121, 141
mal de voyage mal d'auto *m* 121
malade, être sentirsi male 140, 156
maladie malattia *f* 140, 142
manche manica *f* 114, 142
mandarine mandarino *m* 54
mandat *(postal)* vaglia postale *m* 133
manger mangiare 35, 144
manifestation sportive manifestazione sportiva *f* 89
manquer mancare 18, 29, 61
manteau cappotto *m* 114
manteau de pluie impermeabile *m* 114
manucure manicure *f* 30
marché mercato *m* 81, 98
marché aux puces mercato delle pulci *m* 81
marcher andare a piedi, camminare 74
mardi martedì 151
marée basse bassa marea *f* 91
marée haute alta marea *f* 91
margarine margarina *f* 64
mari marito *m* 10, 93
marié(e) sposato(a) 93
marjolaine maggiorana *f* 53
Maroc Marocco *m* 147
maroquinerie pelletteria *f* 99, 127
mars marzo *m* 151
marteau martello *m* 108
masque de beauté maschera di bellezza *f* 30
mât de tente palo da tenda *m* 108
match partita *f* 89
matelas materasso *m* 108
matelas pneumatique materassino pneumatico *m* 108
matériel materiale *m* 108
matière materia *f* 100
matin mattino *m*, mattina *f* 143, 152
matinée *(spectacle)* spettacolo del pomeriggio *m* 87
mauvais cattivo(a) 14
mauve lilla 111
maximum massimo(a) 79
mayonnaise maionese *f* 64, 119
mécanicien meccanico *m* 78
mécontent scontento(a) 102
médecin dottore *m* 79, medico *m* 137, 144, 157
médecine medicina *f* 83
médical medico(a) 144
médicament medicina *f* 121, 143
médiéval medievale 83
meilleur migliore 88, 112
meilleur marché meno caro 24, 25, 101
melon melone *m* 41, 54, 64
même stesso(a) 112, 116
menthe menta *f* 53
menu (à prix fixe) menù (a prezzo fisso) *m* 34, 36, 40
menu touristique menù turistico *m* 34, 36
mer mare *m* 23, 32, 85
mercerie merceria *f* 99
merci grazie 9, 101
mercredi mercoledì *m* 151
mère madre *f* 93
mes i miei, le mie 161
message messaggio *m* 28, 136
messe messa *f* 84
mesurer prendere le misure 110
mètre metro *m* 113

métro metrò *m*, metropolitana *f* 19, 66, 73
metteur en scène regista *m* 87
mettre mettere 24
midi mezzogiorno *m* 31, 152, 154
miel miele *m* 38
mieux meglio 25, 101
milieu *(centre)* mezzo *m* 30, 68
mille mille 149
million milione *m* 149
minuit mezzanotte *f* 154
minute minuto *m* 21, 68, 154
miroir specchio *m* 113
mobilier mobilio *m* 83
mode moda *f* 83
moderne moderno(a) 83, 100
moins meno (di) 13, 101, 154
moins, au come minimo 24
mois mese *m* 16, 141, 151
moitié metà *f* 150
moment momento *m* 136
mon il mio, la mia 161
monastère monastero *m* 81
monnaie moneta *f* 77, 130
Monsieur signor *m* 9, 155, 156
montagne montagna *f* 23, 85
montre orologio *m* 105
montre-bracelet orologio da polso *m* 105
montrer indicare 11; mostrare 12, 25, 76, 100, 101, 104
monument monumento *m* 81
mort morte *f* 155
mosaïque mosaico *m* 83
mosquée moschea *f* 84
mot parola *f* 12, 15, 133
moteur motore *m* 78
motocyclette motocicletta *f* 74
mouchoir fazzoletto *m* 115
mouchoir en papier fazzoletto di carta *m* 122
moule cozza *f* 46, 47
mousse à raser schiuma da barba *f* 124
mousseux *(vin)* spumante 57
moustache baffi *m/pl* 31
moustiquaire zanzariera *f* 108
moutarde senape *f* 37, 64
mouton montone *m* 48
moyen *(taille)* medio(a) 20, 111
mur muro *m* 85
mûre mora *f* 54
muscle muscolo *m* 138, 140
musée museo *m* 81
musique musica *f* 83, 128
musique de chambre musica da camera *f* 128
musique classique musica classica *f* 128
musique folklorique musica folcloristica *f* 128
musique légère musica leggera *f* 128
myope miope 120
myrtille mirtillo *m* 54

N

nacre madreperla *f* 106
nager nuotare 90
natation nuoto *m* 90
nationalité cittadinanza *f* 25
nausée nausea *f* 121, 140
ne ... pas non 15, 163
né(e) nato(a) 150
nécessaire necessario(a) 90
négatif negativo *m* 125, 126
neige neve *f* 94
neiger nevicare 94
nerf nervo *m* 138
nerveux nervoso(a) 138
nettoyage à sec tintoria *f* 29
nettoyer pulire 29, 76
neuf nuovo(a) 17
neuf *(chiffre)* nove 148
neveu nipote *m* 93
nez naso *m* 138, 140, 141
nièce nipote *f* 93
Noël Natale *m* 153
nœud papillon cravatta a farfalla *f* 115
noir nero(a) 111
noir et blanc (film) (pellicola in) bianco e nero *f* 125
noisette nocciola *f* 54
noix noce *f* 54
noix de coco noce di cocco *f* 54
noix de muscade noce moscata *f* 53
nom cognome *m* 25, 79, 136
nombre numero *m* 148
non no 9
non-fumeur non fumatori 36, 65
nord nord *m* 77
normal normale 30, 75, 123, 124
Norvège Norvegia *f* 147
note *(facture)* conto *m* 31
notre il nostro, la nostra 161
nous noi 162
nouveau nuovo(a) 14
Nouvel An capodanno *m*, Primo dell'Anno *m* 153

novembre novembre *m* 151
nuage nuvola *f* 94
nuit notte *f* 10, 24, 152
numéro numero *m* 26, 28, 134, 135, 136
numéro de chambre numero di camera *m* 26
numéro de téléphone numero di telefono *m* 134
numismatique numismatica *f* 84
nuque collo *m* 30

O

objectif *(photo)* obiettivo *m* 126
objet oggetto *m* 158
objets trouvés, bureau des ufficio oggetti smarriti *m* 66, 99, 158
observatoire osservatorio *m* 81
occasion occasione *f* 117
occupé occupato(a) 14, 70, 136; completo(a) 155
octobre ottobre *m* 151
œil occhio *m* 138, 139
œuf uovo *m* 38, 39, 42, 64
œuf à la coque uovo bazzotto *m* 38
œuf au plat uovo al tegame *m* 42
œufs brouillés uova strapazzate *f/pl* 42
office du tourisme ufficio turistico *m* 19, 80, 99, 156
offrir offrire 95
oie oca *f* 50
oignon cipolla *f* 42, 52
oiseau uccello *m* 50, 85
olive oliva *f* 64
omelette frittata *f* 42
oncle zio *m* 93
ongle unghia *f* 123
onze undici 148
opéra opera *f* 87
Opéra teatro dell'opera *m* 81, 87
opération operazione *f* 144
opérer operare 142
opérette operetta *f* 87
opticien ottico *m* 99, 120
or oro *m* 105, 106
orage temporale *m* 94
orange *(couleur)* arancio(a) 111
orange arancia *f* 38, 54, 60, 64
orangeade aranciata *f* 60
orchestre orchestra *f* 87
ordonnance ricetta *f* 143
oreille orecchio *m* 138, 141
oreiller guanciale *m* 27
organes génitaux genitali *m/pl* 138
original originale 100
ornithologie ornitologia *f* 84
orteil dito del piede *m* 138
os osso *m* 138
ou o 15
où dove 10, 76, 100
oublier dimenticare 62
ouest ovest *m* 77
oui sì 9
outil attrezzo *m* 78
ouvert aperto(a) 14, 82, 155
ouvre-boîtes apriscatole *m* 108
ouvre-bouteilles apribottiglia *m* 109
ouvrir aprire 10, 70, 121, 129
ovale ovale 100

P

page pagina *f* 11
paiement pagamento *m* 102, 131
paille *(pour boire)* cannuccia *f* 60
pain pane *m* 37, 38, 40, 64, 119
paire paio *m* 116, 150
palais palazzo *m* 81
palais de justice palazzo di giustizia *m* 81
palme *(nageur)* pinna *f* 128
palourde vongola *f* 47
palpitations palpitazioni *f/pl* 141
pamplemousse pompelmo *m* 54, 60
panier cestino *m* 109
panne *(voiture)* guasto *m* 78
panne sèche, être en essere rimasto(a) senza benzina 78
panneau segnale *m* 79
panneau routier segnale stradale *m* 79
pansement medicazione *f* 122
pantalon pantaloni *m/pl* 114
pantoufle pantofola *f* 116
papeterie cartoleria *f* 99, 117
papier carta *f* 118
papier cadeau carta per regali *f* 118
papier carbone carta carbone *f* 118
papier à dessin carta da disegno *f* 118
papier d'emballage carta da pacchi *f* 118
papier hygiénique carta igienica *f* 123
papier à lettres carta da lettere *f* 27, 118

papiers d'identité documenti d'identificazione *m/pl* 25
Pâques Pasqua *f* 153
paquet pacchetto *m* 107, 119, 133
parapluie ombrello *m* 115
parasol ombrellone *m* 91
parc parco *m* 81
parcomètre parchimetro *m* 77
pardon scusi 9, 11, 69; permesso 9
pare-brise parabrezza *m* 76
parents genitori *m/pl* 93
parfum profumo *m* 123
parfumerie profumeria *f* 99
parking parcheggio *m* 77
Parlement Palazzo del Parlamento *m* 81
parler parlare 10, 11, 16, 135, 137
parquer parcheggiare 77
parterre *(théâtre)* platea *f* 88
partie parte *f* 138; *(sport)* partita *f* 89
partir partire 31, 68, 72, 80, 152, 162
pas ... encore non ... ancora 16
passeport passaporto *m* 16, 17, 26, 130, 158
passer passare 69, 134
pastèque anguria *f* 54, 64
pasteur pastore *m* 84
pastille pour la gorge pasticca per la gola *f* 122
pâtes pasta *f* 35, 44
patient(e) paziente *m/f* 144
patinage pattinaggio *m* 90
patinoire pista di pattinaggio *f* 91
patins (à glace) pattini *m/pl* 91
patins à roulettes pattini a rotelle *m/pl* 128
pâtisserie pasticcino *m* 55; *(magasin)* pasticceria *f* 99
payer pagare 31, 62, 67, 102, 136
pays paese *m* 92, 146
paysage paesaggio *m* 92
Pays-Bas Olanda *f* 147
péage pedaggio *m* 79
peau pelle *f* 138
pêche pesca *f* 54, 64
pêcher pescare 90
pédalo pedalò *m* 91
pédiatre pediatra *m* 137
peigne pettine *m* 124
peignoir vestaglia *f* 114
peignoir de bain accappatoio *m* 114
peindre dipingere 83
peintre pittore *m* 83
peinture pittura *f* 84, 155
peinture, boîte de scatola di colori *f* 118
pelle paletta *f* 128
pendant durante 15
pendentif *(bijou)* pendente *m* 106
pendule pendolo *m* 106
pénicilline penicillina *f* 143
penser pensare 92, 94
pension pensione *f* 19, 22
pension complète pensione completa *f* 24
perche *(poisson)* pesce persico *m* 46
perdre perdere 12, 120, 145, 158
père padre *m* 93
perle perla *f* 105
permanente permanente *f* 30
permettre permettere 82
permis licenza *f* 90
permis de chasse licenza di caccia *f* 90
permis de circulation libretto di circolazione *m* 16
permis de conduire patente *f* 16
permis de pêche licenza di pesca *f* 90
persil prezzemolo *m* 53
personne persona *f* 32
personne *(négation)* nessuno 15
personnel personale 17
personnel personale *m* 27
personnel hôtelier personale d'albergo *m* 27
perte perdita *f* 131
pétillant frizzante 57
petit piccolo(a) 14, 20, 25, 37, 101, 110, 116
petit déjeuner colazione *f* 24, 26, 38
petit pain panino *m* 37, 38, 64
petit pois pisello *m* 52
pétrole petrolio *m* 109
peu poco(a) 13
peu, un un po' 13, 37
peut-être forse 15
pharmacie farmacia *f* 99, 121
photo fotografia *f* 125, 126
photo d'identité fotografia d'identità *f* 125
photocopie fotocopia *f* 131
photographe fotografo *m* 99, 125
photographier fotografare 82
phrase frase *f* 12

pièce pezzo *m* 55; *(théâtre)* commedia *f* 86
pied piede *m* 138; *(à pied)* a piedi 74, 76
pierre sasso *m* 90
pierre précieuse pietra preziosa *f* 106
pigeon piccione *m* 51
pile pila *f* 104, 126
pilule pillola *f* 122, 141
pince à cheveux molletta *f* 124
pince à épiler pinzette per depilare *f/pl* 124
pince à linge molletta da bucato *f* 109
pinceau pennello *m* 118
pinède pineta *f* 85
pintade faraona *f* 50
pipe pipa *f* 107
pique-nique picnic *m* 39, 63, 108
piquer pungere 139
piquet de tente picchetto per tenda *m* 109
piqûre iniezione *f* 143, 144; *(d'insecte)* puntura *f* 121, 139
piscine piscina *f* 32, 90
piste pista *f* 91
piste cyclable pista per ciclisti *f* 155
pittoresque panoramico(a) 85
pizza pizza *f* 39, 42
place posto *m* 32, 68, 69, 87, 88; *(publique)* piazza *f* 81
place, à la invece di 37
place de jeux parco giochi *m* 32
placement investimento *m* 131
plage spiaggia *f* 90, 91
plaire, se piacersi 25, 92, 110
plaisir piacere *m* 95, 96, 101
plan de ville pianta della città *f* 19, 117
planche à voile tavola a vela *f* 90, 91
plante pianta *f* 85
plaque *(chocolat)* tavoletta *f* 119
plaqué or placcato d'oro 105
plastique plastica *f* 109
plat basso(a) 116
plat *(mets)* piatto *m* 36, 40
plat du jour piatto del giorno *m* 40
platine platino *m* 106
plein pieno(a) 14, 75
plein air, en all'aperto 87, 90
pleuvoir piovere 94
plomb piombo *m* 75
plomb, sans senza piombo 75
plombage otturazione *f* 145
pluie pioggia *f* 94
plume réservoir penna stilografica *f* 118
plus più (di) 13, 154
pneu gomma *f* 75, 78
pneu plat gomma sgonfia *f* 78
pneumonie polmonite *f* 142
poche tasca *f* 114
poêle à frire padella *f* 108
poignet polso *m* 138
poil de chameau pelo di cammello *m* 112
pointure numero *m* 116
poire pera *f* 54
poireau porro *m* 52
poison veleno *m* 122
poisson pesce *m* 46
poissonnerie pescheria *f* 99
poitrine petto *m* 138, 141
poivre pepe *m* 37, 38, 64
poivron peperone *m* 52
police polizia *f* 79, 157, 158
politique politica *f* 84
pommade pomata *f* 124; crema *f* 122
pommade antiseptique crema antisettica *f* 122
pommade pour les lèvres pomata per le labbra *f* 124
pomme mela *f* 54, 64, 119
pommes chips patatine fritte *f/pl* 64
pommes frites patatine fritte *f/pl* 63
pomme de terre patata *f* 52
pompiers pompieri *m/pl* 157
pont ponte *m* 74, 84
porc *(viande)* maiale *m* 48
port porto *m* 74, 81; *(postal)* affrancatura *f* 132
portail porta *f* 81
portatif portatile 104
porte porta *f* 28, 155
portefeuille portafoglio *m* 127, 158
porte-jarretelles reggicalze *m* 114
porte-monnaie portamonete *m* 115
porter portare 18, 21
porteur facchino *m* 18, 70
portier portiere *m* 27
portion porzione *f* 37
Portugal Portogallo *m* 147
possible possibile 113, 145
poste, bureau de ufficio postale *m* 99, 132
poste de police posto di polizia *m* 99, 158

poste restante fermo posta 133
poster spedire 28
pot vasetto *m* 119
potage zuppa *f*, minestra *f* 43
poterie terracotta *f* 84
poudre *(pour le visage)* cipria *f* 124
poule gallina *f* 50
poulet pollo *m* 51, 63
poulet rôti pollo arrosto *m* 63
poumon polmone *m* 138
poupée bambola *f* 128
pour per 15
pour-cent per cento *m* 150
pourboire mancia *f* 62
pourcentage percentuale *f* 131
pourquoi perchè 10
pousser spingere 155
pouvoir potere 13, 21, 26, 103, 163
pratiquer praticare 89
pré prato *m* 85
préavis preavviso *m* 135
préférer preferire 101
prélèvement *(méd.)* campione *m* 142
premier primo(a) 14, 67, 68, 71, 150
premiers secours pronto soccorso *m* 109, 122
prendre prendere 18, 25, 72, 101, 142, 143
prendre rendez-vous fissare un appuntamento 30, 145
prénom nome *m* 25
préparer preparare 28, 63, 70
près vicino(a) 14
presbyte presbite 120
prescrire prescrivere 143
présentation presentazione *f* 92
présenter presentare 9, 92
présenter, se presentarsi 71
préservatif preservativo *m* 122
pressé, être avere fretta 21, 31, 56
pression pressione *f* 75
prêt pronto(a) 29, 116, 120, 126, 145
prêter prestare 78
prêtre prete *m* 84
prévisions du temps previsione del tempo *f* 94
primeur negozio di frutta e verdura *m* 99
principal principale 40; centrale 66
printemps primavera *f* 151
prise presa *f* 27, 29; spina *f* 104
prise de raccordement spina riduttrice *f* 104
privé privato(a) 91, 155
prix prezzo *m* 20, 24, 32, 71, 113
prochain prossimo(a) 21, 67, 72, 73, 95, 152
proche, le plus il (la) più vicino(a) 98
procurer procurare 89, 131
produit à vaisselle detersivo (per stoviglie) *m* 109
profession professione *f* 25
profond profondo(a) 90
programme programma *m* 86, 88
programme des spectacles programma degli spettacoli *m* 86
prononcer pronunciare 11
prononciation pronuncia *f* 11
propre pulito(a) 62
prospectus opuscolo *m* 125
protestant protestante 84
provisoire provvisorio(a) 145
prune prugna *f*, susina *f* 54
pruneau prugna *f* 54
pull(over) pullover *m* 110, 114
punaise puntina *f* 118
pur puro(a) 112
puzzle puzzle *m* 128
pyjama pigiama *m* 114

Q

quai *(gare)* binario *m* 66, 67, 68, 69
qualité qualità *f* 112
quand quando 10, 83
quantité quantità *f* 13
quarante quaranta 148
quart quarto *m* 150
quart d'heure quarto d'ora *m* 154
quartier commerçant zona dei negozi *f* 81, 100
quartz quarzo *m* 106
quatorze quattordici 148
quatre quattro 148
quatre-vingt-dix novanta 149
quatre-vingts ottanta 149
quatrième quarto(a) 150
que *(comparaison)* che, di 13, 160
quel(le) quale 10
quelque alcuni(e) 13; qualche 16
quelque chose qualcosa 15
quelque part da qualche parte 89
quelqu'un qualcuno(a) 10, 15, 95
question richiesta *f* 26
qui chi 10, 83
quincaillerie negozio di ferramenta *m* 99
quinze quindici 148
quittance ricevuta *f* 102, 103, 144
quoi che cosa 10, 83

R

rabais sconto *m* 131
rabbin rabbino *m* 84
raccommoder rammendare 29
radiateur *(voiture)* radiatore *m* 78
radio radio *f* 23, 28, 104
radiographie radiografia *f* 140
radio-réveil radio sveglia *f* 104
radis ravanello *m* 52
ragoût spezzatino *m* 48
raie *(cheveux)* riga *f* 30
raisin uva *f* 54, 60, 64
raisin sec uva passa *f* 54
ralentir rallentare 79
rallonge *(électrique)* prolunga *f* 104
rapide rapido(a) 14
rappeler *(tél.)* richiamare 136
raquette *(tennis)* racchetta *f* 89
raser radere 31
rasoir *(électrique)* rasoio (elettrico) *m* 27, 104, 124
rayon *(magasin)* reparto *m* 103
réception ricevimento *m* 23, 95
réceptionniste capo ricevimento *m* 27
réchaud à gaz fornello a gas *m* 109
réclamation reclamo *m* 61
recommandé *(courrier)* raccomandata *f* 132
recommander raccomandare 35; consigliare 80, 86, 87
rectangulaire rettangolare 100
réduction riduzione *f* 24, 82
regarder guardare, dare un'occhiata 100
régime dieta *f* 37
région regione *f* 57, 58
règle riga *f* 118
règles mestruazioni *f/pl* 141
rein rene *m* 138
religion religione *f* 84
rembourser rimborsare 103
remède medicina *f* 121
remontée mécanique *(ski)* sciovia *f* 91
remparts bastioni *m/pl* 82
remplir *(fiche)* compilare 26, 133, 144
Renaissance rinascimento *m* 83
rencontrer, se incontrarsi 96
rendez-vous appuntamento *m* 30, 95, 131, 132
rendez-vous, prendre fissare un appuntamento 30, 137, 145
rendre rendere 20, 102
rendre à, se andare a 10, 19, 76; arrivare 100
rendre visite visitare 95
renseignement informazione *f* 66, 155
réparation riparazione *f* 116, 126
réparer riparare 29, 79, 104, 116, 126
repas pasto *m* 34, 62, 143
repas léger spuntino *m* 63
repasser stirare 29
répéter ripetere 11
répondre rispondere 136
représentation rappresentazione *f* 86
réservation prenotazione *f* 19, 23, 66, 71, 86
réservation d'hôtel prenotazione d'albergo *f* 19, 23, 66
réserver prenotare 19, 23, 68, 71, 87; riservare 35, 86, 155
respirer respirare 141, 142
restaurant ristorante *m* 33, 35, 67
rester restare 16, 24, 26, 77
retard ritardo *m* 68, 69
retard, être en essere in ritardo 69, 154
retirer ritirare 70; *(argent)* prelevare 130
retoucher *(vêtements)* modificare 113
retour, être de essere di ritorno 36
retourner ritornare 77
retrait *(argent)* prelevamento *m* 130
retraité(e) pensionato(a) *m/f* 82
rétrécir restringere 113
réveil (de voyage) sveglia (da viaggio) *f* 104, 106
réveiller svegliare 26, 70
revoir rivedere 96
revue rivista *f* 117
rhubarbe rabarbaro *m* 54
rhumatisme reumatismo *m* 141
rhume raffreddore *m* 121, 141
rhume des foins febbre da fieno *f* 121
rideau tenda *f* 28
rien niente 15, 37, 163; nulla 15, 17
rire ridere 11, 95
risque rischio *m* 20
rivière fiume *m* 85, 90

riz riso *m* 45
robe abito *m* 114
robe de chambre vestaglia *f* 114
robe du soir abito da sera *m* 114
robinet rubinetto *m* 28
rocher roccia *f* 85, 90
rognon rognone *m* 48
roman romanzo *m* 117
roman policier romanzo giallo *m* 117
romantique romantico(a) 84
romarin rosmarino *m* 53
rompre rompere 94
rond rotondo(a) 100
rose *(couleur)* rosa 111
rosé *(vin)* rosatello *m* 57
rôti arrosto *m* 48, 63
roue ruota *f* 78
roue de secours ruota di scorta *f* 75
rouge rosso(a) 57, 111
rouge à lèvres rossetto *m* 124
rougeole morbillo *m* 142
rouget triglia *f* 47
rouleau de pellicule rullino *m* 125
route strada *f* 76, 77, 85
ruban nastro *m* 118
ruban adhésif nastro adesivo *m* 118
ruban de machine à écrire nastro per macchina da scrivere *m* 118
rubis rubino *m* 106
rue strada *f* 25, 77
ruine rovina *f* 82
ruisseau ruscello *m* 85

S

sable sabbia *f* 90
sac sacchetto *m* 102, 109
sac de couchage sacco a pelo *m* 109
sac à dos sacco da montagna *m* 109
sac à main borsetta *f* 115, 127, 158
sac en plastique sacchetto di plastica *m* 109
sachet sacchetto *m* 119
safran zafferano *m* 53
saignant *(viande)* al sangue 50
saignement de nez emorragia nasale *f* 141
saigner perdere sangue 139; sanguinare 145
saison stagione *f* 40, 151; *(basse)* bassa stagione *f* 151; *(haute)* alta stagione *f* 151
salade insalata *f* 51, 52, 64
salade de fruits macedonia di frutta *f* 54
salami salame *m* 41, 63
salé salato(a) 61
salle d'attente sala d'aspetto *f* 66
salle de bains bagno *m* 26, 27
salle à manger sala da pranzo *f* 26
salon-lavoir lavanderia automatica *f* 99
salopettes tuta *f* 114
salutation saluto *m* 9, 153
samedi sabato *m* 151
sandale sandalo *m* 116
sandwich panino imbottito *m* 63
sang sangue *m* 139, 142
sanglier cinghiale *m* 50
sans senza 15, 75, 90
sans danger senza pericolo 90
sans plomb senza piombo 75
santé! cin-cin! 56
saphir zaffiro *m* 106
sardine sardina *f* 47
satin raso *m* 112
sauce salsa *f* 39, 45
saucisse salsiccia *f* 48, 64, 119
sauf salvo, meno che 15
sauge salvia *f* 53
saumon salmone *m* 41, 46
saumon fumé salmone affumicato *m* 41
sauvetage, canot de canotto di salvataggio *m* 74
sauvetage, ceinture de cintura di salvataggio *f* 74
savoir sapere 16, 24
savon saponetta *f* 27, 124
scooter motoretta *f* 74
sculpteur scultore *m* 83
sculpture scultura *f* 83, 84
seau secchio *m* 109, 128
sec secco(a) 30, 57, 123, 124
sèche-cheveux asciugacapelli *m* 104
seconde secondo *m* 154
secours soccorsi *m/pl* 157
secours, au aiuto! 157
secrétaire segretaria *f* 27, 131
sein seno *m* 138
seize sedici 148
séjour soggiorno *m* 31, 94
sel sale *m* 37, 38, 64
self-service self-service *m* 75
selles *(méd.)* feci *f/pl* 142
semaine settimana *f* 16, 20, 24, 80, 143, 152
semelle suola *f* 116
sens unique senso unico *m* 79

LEXIQUE

sentier sentiero *m* 85
sentir, se sentirsi 140
séparé separato(a) 62
sept sette 148
septembre settembre *m* 151
serveur cameriere *m* 27
serveuse cameriera *f* 27
service servizio *m* 23, 62, 99, 100, 134
service religieux funzione religiosa *f* 84
serviette tovagliolo *m* 37
serviette de bain asciugamano *m* 27
serviette hygiénique assorbente igienico *m* 122
servir servire 26, 36
servir, se servirsi 119
seul solo(a) 93
seulement soltanto 15; solo 24
shampooing shampo *m* 30, 124
shampooing colorant shampo colorante *m* 124
shampooing et mise en plis shampo e messa in piega *m* 30
shorts calzoncini corti *m/pl* 115
si se 11
siècle secolo *m* 150
signature firma *f* 25
signer firmare 26, 130
signifier significare 10
s'il vous plaît per favore, per piacere 9
simple semplice 125
sirop sciroppo *m* 60, 122
sirop contre la toux sciroppo per la tosse *m* 122
six sei 148
ski sci *m* 91
ski de fond sci di fondo *m* 91
ski de piste sci di pista *m* 91
ski nautique sci nautico *m* 91
skier sciare 91
slip slip *m* 115; mutande *f/pl* 115
société società *f* 156
sœur sorella *f* 93
soie seta *f* 112, 127
soif sete *f* 12, 35
soir sera *f* 9, 95, 96
soirée serata *f* 95, 96
soixante sessanta 148
soixante-dix settanta 149
soldes saldi *m/pl* 99, 155
sole sogliola *f* 47
soleil sole *m* 94
soliste solista *m/f* 87
sombre buio(a) 25
somme importo *m* 62, 131
somnifère sonnifero *m* 122, 143
son et lumière, spectacle spettacolo suoni e luci *m* 87
sonner suonare 155
sonnette campanello *m* 144
sortie uscita *f* 66, 79, 103
sortie de secours uscita di sicurezza *f* 26, 103, 155
sortir uscire 96
soucoupe piattino *m* 109
souffrir soffrire 142
souhaiter augurare 153
soulier scarpa *f* 116
souliers de ski scarponi da sci *m/pl* 91
soupe minestra *f*, zuppa *f* 39, 40, 43
souple morbido(a) 120
source sorgente *f* 85
sous sotto 15
sous-vêtements biancheria intima *f* 115
souterrain sotterraneo(a) 77
soutien-gorge reggiseno *m* 115
souvenir oggetto ricordo *m* 127
souvenirs, magasin de negozio di oggetti ricordo *m* 98, 127
sparadrap cerotto *m* 122
spécial speciale 20, 37, 71
spécialiste specialista *m* 137, 142
spécialité specialità *f* 36, 40
spectacle spettacolo *m* 86, 87, 88
spiritueux alcolici *m/pl* 39, 59
splendide splendido(a) 84
sport sport *m* 89, 98
sport d'hiver sport invernale *m* 91
stade stadio *m* 82
standardiste centralinista *m/f* 26
station stazione *f* 73
station de métro stazione della metropolitana *f* 73
station-service stazione di rifornimento *f* 75
stationnement parcheggio *m* 77
statue statua *f* 82
steak bistecca *f* 48
store tenda *f* 29
stylo à bille biro *f* 118
stylo feutre pennarello *m* 118
stylo-mine portamine *m* 118
sucre zucchero *m* 37, 38, 61, 64
sucré dolce 61
sud sud *m* 77

Dizionario

Suède Svezia *f* 147
suisse svizzero(a) 92, 117, 146, 158
Suisse Svizzera *f* 132, 134, 146, 147
suivre seguire 16, 77, 133
super *(essence)* super 75
supérieur superiore 68
supermarché supermercato *m* 99
supplément supplemento *m* 40, 67
suppositoire supposta *f* 122
sur su, sopra 15
sûr sicuro(a) 11
surprenant sorprendente 84
surveillé custodito(a) 77
survêtement tuta sportiva *f* 115
synagogue sinagoga *f* 84
synthétique sintetico(a) 112

T

ta il tuo, la tua 161
tabac tabacco *m* 107
tabac pour pipe tabacco da pipa *m* 107
table tavolo *m* 35, 36, 109
table pliante tavolo pieghevole *m* 109
tableau quadro *m* 83
tablier grembiule *m* 115
tache macchia *f* 29
taille taglia *f* 110
taille-crayon temperamatite *m* 118
tailleur sarto *m* 99; tailleur *m* 114
talc talco *m* 124
talon tacco *m* 116
tampon hygiénique tampone igienico *m* 122
tante zia *f* 93
tard tardi 14
tarif tariffa *f* 20, 21, 68, 71, 89
tarif spécial tariffa speciale *f* 20, 71
tarte aux pommes crostata di mele *f* 55
tasse tazza *f* 37, 109
taux tasso *m* 131
taux d'inflation tasso d'inflazione *m* 131
taux d'intérêt tasso d'interesse *m* 131
taxe tassa *f* 32
taxe de séjour tassa di soggiorno *f* 32
taxi taxi *m* 18, 19, 21, 31, 66
teinter colorare 120
teinture tinta *f*, tintura *f* 30, 124
teinture d'iode tintura di iodio *f* 122
teinturerie tintoria *f* 29, 99
téléfax telefax *m* 133
télégramme telegramma *m* 133
téléobjectif teleobiettivo *m* 126
téléphérique funivia *f* 74
téléphone telefono *m* 28, 134, 135, 136, 157
téléphoner telefonare 134
téléphoniste centralinista *m/f* 134
téléviseur televisore *m* 104
télévision televisione *f* 24, 28
télex telex *m* 133
température temperatura *f* 90, 142
tempête tempesta *f* 94
temple chiesa *f* 84
temps tempo *m* 67, 80, 96; *(météo)* tempo *m* 94
tenailles tenaglie *f/pl* 109
tendon tendine *m* 138
tennis tennis *m* 89, 90
tension tensione *f* 155; *(méd.)* pressione *f* 141, 142
tente tenda *f* 32, 109
tenue de soirée abito da sera *m* 88
terme *(expression)* termine *m* 131
terminus capolinea *m* 73
terrain de golf campo da golf *m* 89
terrasse terrazza *f* 36
terre cuite terracotta *f* 127
tétanos tetano *m* 140
tête testa *f* 138, 139
tête, mal de mal di testa *m* 121, 141
tétine succhiotto *m* 124
thé tè *m* 38, 60, 61, 64, 119
thé, sachet de bustina di tè *m* 64, 119
théâtre teatro *m* 82, 86
thermomètre termometro *m* 122, 144
thermoplongeur scalda acqua *m* 104
thermos termos *m* 109
thon tonno *m* 41, 47
thym timo *m* 53
tiers terzo *m* 150
timbre(-poste) francobollo *m* 28, 107, 132, 133
tire-bouchon cavatappi *m* 109
tirer tirare 155
tisane tisana *f* 61
tissu tessuto *m* 112; stoffa *f* 113
tissu éponge tessuto a spugna *m* 112
toast pane tostato *m* 38
toile tela *f* 116
toile de jeans tessuto jeans *m* 112

toilettes gabinetto *m* 24, 26, 32, 66
tomate pomodoro *m* 52, 64
tombeau tomba *f* 82
ton il tuo, la tua 161
ton *(couleur)* tonalità *f* 111
tonnerre tuono *m* 94
topaze topazio *m* 106
torticolis torcicollo *m* 141
tôt presto(a) 14, 31
toucher toccare 155; *(chèque)* cambiare 130
toujours sempre 15
tour *(édifice)* torre *f* 82
tour *(excursion)* giro *m* 74, 95
tour du port giro del porto *m* 74
tour de ville giro della città *m* 80
tourne-disque giradischi *m* 104
tourner girare 21, 77
tournevis cacciavite *m* 109
tousser tossire 142
tout tutto(a) 31, 62
tout de suite subito 15, 36, 137
tout droit *(direction)* diritto 21, 77
toux tosse *f* 121, 141
traducteur/-trice traduttore/traduttrice *m/f* 131
traduction traduzione *f* 12, 131
traduire tradurre 12
train treno *m* 65, 67, 68, 69
traitement cura *f* 143
traiteur salumeria *f*, pizzicheria *f* 99
trajet percorso *m* 72
tram tram *m* 72
tranche fetta *f* 55, 63, 64, 119
tranquille tranquillo(a) 25
tranquillisant tranquillante *m* 122, 143
transfert trasferimento *m* 131
transfusion trasfusione di sangue *f* 144
transit, en di passaggio 16
transport trasporto *m* 74
travail lavoro *m* 79
travailler lavorare 93
travers, à per, attraverso 14
traversée traversata *f* 74
treize tredici 148
trente trenta 148
trépied treppiedi *m* 126
très molto 15
tripes trippe *f/pl* 48, 49
trois tre 148
troisième terzo(a) 150
trop troppo 13, 25
trou buco *m* 29
trouble disturbo *m* 142
troué bucato(a) 29
trousse de premiers secours cassetta del pronto soccorso *f* 109, 122
trousse de toilette borsetta per toeletta *f* 124
trouver trovare 10, 21, 84, 100
trouver, se trovarsi 19, 76, 83, 100
truffe tartufo *m* 52
truite trota *f* 47
T-shirt maglietta di cotone *f* 115
tu tu 161
tuba maschera da subacqueo *f* 128
tube tubetto *m* 119
Tunisie Tunisia *f* 147
tunnel de lavage autolavaggio *m* 76
turbot rombo *m* 46
Turquie Turchia *f* 147
turquoise *(couleur)* turchese 111
turquoise (pierre) turchese *m* 106
tuyau d'échappement tubo di scappamento *m* 78
T.V.A. I.V.A *f* 24, 102, 156
tweed tweed *m* 112

U

ulcère ulcera *f* 141
ultra-violet ultravioletto(a) 126
un *(chiffre)* uno 148
un(e) un, uno, una 159
une fois una volta 150
Union Soviétique Unione Sovietica *f* 147
université università *f* 82
urgence emergenza *f* 157
urgent urgente 14, 145, 157
urine urina *f* 142
usage uso *m* 17
utile utile 15
utiliser usare 134

V

vacances vacanza *f* 16, 152, 153
vacciner vaccinare 140
vague onda *f* 91
vaisselle stoviglie *f/pl* 109
valable valido(a) 71, 136
valet de chambre ragazzo di portineria *m* 26
valeur valore *m* 131, 158
valise valigia *f* 18, 70
vallée valle *f* 85

vanille vaniglia *f* 55
veau *(viande)* vitello *m* 45
végétarien vegetariano(a) 36
veine vena *f* 138
vélomoteur motorino *m* 74
velours velluto *m* 112
velours côtelé velluto a coste *m* 112
vendre vendere 100, 162
vendredi venerdì *m* 151
venir venire 92, 94, 95, 96, 137, 146
vent vento *m* 94
vente vendita *f* 131
ventilateur ventilatore *m* 28
vérifier controllare 75
véritable vero(a) 116
vermouth vermouth *m* 59
vernis à ongles smalto per unghie *m* 124
verre bicchiere *m* 37, 38, 57, 60, 61, 95; *(matière)* vetro *m* 127; *(optique)* lente *f* 120
verre de contact lente a contatto *f* 120
vers verso 15
verser versare 130
vert verde 111
vertiges, avoir des avere dei capogiri 140
vésicule vescicola *f* 138
vessie vescica *f* 138
veste de sport giacca sportiva *f* 115
vestiaire guardaroba *f* 88
veston giacca *f* 115
vêtement abito *m* 29, 114, 115
vêtements, magasin de negozio di abbigliamento *m* 98, 110
vétérinaire veterinario *m* 99
viande carne *f* 39, 40, 48, 61
vide vuoto(a) 14
vidéocassette video cassetta *f* 104, 125, 127
vieille ville città vecchia *f* 82
vieux anziano(a), vecchio(a) 14
vigne vigna *f* 85
village villaggio *m*, paese *m* 85
ville città *f* 18, 73, 82
vin vino *m* 35, 56, 57, 58, 119
vinaigre aceto *m* 37, 41, 64
vingt venti 148
violet viola 111
virage curva *f* 79
visage viso *m* 138
visite guidée visita guidata *f* 82
visite touristique visita turistica *f* 82
visiter visitare 84
vitamine vitamina *f* 122
vite presto 79, 137, 157
vitesse velocità *f* 79
vitrine vetrina *f* 100, 110
vivre vivere 83
vœu augurio *m* 153
vœu, carte de biglietto d'auguri *m* 118
voici ecco 13, 16
voie *(gare)* binario *m* 66, 68
voile *(sport)* vela *f* 90
voilier barca a vela *f* 91
voir vedere 25, 86, 96, 105; guardare 11
voiture macchina *f* 19, 20, 75, 76, 78, 79, 96
vol *(avion)* volo *m* 71; *(dérober)* furto *m* 158
volaille pollame *m* 39, 40, 50
voler *(dérober)* rubare 158
volet imposta *f* 29
voleur ladro *m* 157
volleyball pallavolo *f* 89
voltage voltaggio *m* 27
vomir vomitare 140
vouloir volere 12, 163
vous lei *(pl voi)* 161
voyage viaggio *m* 93, 153
voyage d'affaires viaggio d'affari *m* 93
voyager viaggiare 93
vue vista *f* 23, 25, 120

W

wagon vagone *m*, carrozza *f* 65, 70
wagon-lit vagone letto *m* 65, 68, 70
wagon-restaurant carrozza ristorante *f* 65, 67, 69
whisky whisky *m* 59

Y

yogourt yogurt *m* 64

Z

zéro zero 148
zone zona *f* 79
zoo zoo *m* 82
zoologie zoologia *f* 84

Indice italiano

AUTRICHE
SUISSE
HONGRI
ALTO ADIGE
Trento
TRENTINO
Udine
Trieste
Aosta
LOMBARDIA
Venezia
PIEMONTE
Milano
VENETO
Torino
EMILIA-
ROMAGNA
FRANCE
YOUGOSLAVI
LIGURIA
Genova
Bologna
Firenze
Ancona
TOSCANA
Perugia
MARCHE
UMBRIA
ADRIATIQUE
Isola d'Elba
LAZIO
L'Aquila
Corse
ABRUZZI
MOLISE
Roma
Campobasso
Bari
Napoli
Ischia
CAMPANIA
PUGLIA
Potenza
Capri
BASILICATA
SARDEGNA
Cagliari
CALABRIA
Lipari
Catanzaro
MÉDITERRANÉE
Egadi
Palermo
Reggio Cal.
SICILIA
Catania
N
ALGÉRIE
TUNISIE

Pour vos voyages, les guides BERLITZ®

GUIDES DE VOYAGE

Les guides Berlitz, de conception moderne, constamment remis à jour, enrichissent votre voyage sans grever votre budget. En 128 pages – 192 256 pages pour les maxi-guides – avec photos, cartes régionales et plar de villes. Berlitz vous apporte toutes les informations nécessaires pour sav ce qu'il faut découvrir, visiter, acheter, boire et manger sans vous ruiner.

AFRIQUE	Algérie (256 p.) Kenya Maroc Tunisie
ALLEMAGNE, AUTRICHE	Berlin Munich Vallée du Rhin Vienne
AMÉRIQUE LATINE	Mexico Rio de Janeiro
ANTILLES	Antilles françaises Bahamas Caraïbes du Sud-Est Jamaïque
BELGIQUE, PAYS-BAS	Bruxelles Amsterdam
ESPAGNE	Barcelone et Costa Dorada Costa Blanca Costa Brava
ESPAGNE	Costa del Sol et Andalou Ibiza et Formentera Iles Canaries Madrid Majorque et Minorque
ETATS-UNIS, CANADA	Californie Floride Miami New York USA (256 p.) Canada (256 p.) Montréal
EUROPE DE L'EST	Budapest Hongrie (192 p.) Moscou et Leningrad Prague
EXTRÊME-ORIENT	Chine (256 p.) Hong Kong Inde (256 p.) Japon (256 p.) Singapour Sri Lanka Thailande

RANCE	Côte d'Azur Paris Val de Loire
RÈCE, HYPRE	Athènes Corfou Crète Iles grecques Rhodes Salonique et la Grèce du Nord Chypre
LES RITANNIQUES, RLANDE	Ecosse Iles Anglo-Normandes Londres Oxford et Stratford Irlande
TALIE	Florence Italie (256 pages) Riviera italienne Rome Sicile Venise
MALTE	Malte
PORTUGAL	Algarve Lisbonne Madère
PROCHE- ORIENT	Egypte Jérusalem
SCANDINAVIE	Copenhague Helsinki Oslo Stockholm
SUISSE	Suisse (192 p.)
TURQUIE	Istanbul (Côte égéenne) Turquie (192 p.)
YOUGOSLAVIE	Dubrovnik et Dalmatie méridionale Istrie et Côte croate Split et Dalmatie

NOUVEAU: PARIS 1001 Adresses – un superbe guide de poche qui comblera tous les visiteurs de la Ville Lumière. 256 pages avec photos et cartes détaillées en couleur.

MANUELS DE CONVERSATION

Les plus vendus dans le monde, ils contiennent les mo
et expressions indispensables en voyage avec la
prononciation donnée à côté de chaque mot. 192 page

Allemand pour le Voyage
Américain pour le Voyage
Anglais pour le Voyage
Espagnol pour le Voyage
Grec pour le Voyage
Italien pour le Voyage
Portugais pour le Voyag
Russe pour le Voyage
Yougoslave (serbo-croat
pour le Voyage

CASSETTES DE CONVERSATION

Une combinaison idéale: une cassette enregistrée en haute fidélité pour améliorer votre accent, accompagné d'une transcription intégrale ainsi que d'un manuel de conversation vous fournissant le vocabulaire de bas pour votre voyage.

Allemand pour le Voyage
Anglais pour le Voyage
Espagnol pour le Voyage
Grec pour le Voyage
Italien pour le Voyage

DICTIONNAIRES

En français et dans la langue de votre choix, ils vous donnent 12500 mots et expressions avec leur prononciation. S'y ajoutent un lexique gastronomique, des indications pratiques, ainsi qu'une liste de verbes irréguliers. Plus de 350 pages.

Français-Allemand
Français-Anglais
Français-Danois
Français-Espagnol
Français-Finnois
Français-Italien
Français-Néerlandais
Français-Norvégien
Français-Portugais
Français-Suédois